No i mam za swoje

Dariusz Lis

No i mam za swoje

Kraków 2010

Korekta:
Aleksandra Jastrzębska

Ilustracje
Dariusz Zieniewicz

Projekt okładki:
Ewa Beniak-Haremska

ISBN 978-83-7587-253-8

Oficyna Wydawnicza „Impuls"
30-619 Kraków, ul. Turniejowa 59/5
tel. (12) 422-41-80, fax (12) 422-59-47
www.impulsoficyna.com.pl, e-mail: impuls@impulsoficyna.com.pl
Wydanie I, Kraków 2010

No i mam za swoje. W końcu ziściły się moje durne, młodzieńcze marzenia, wyhodowane na polonistycznej literaturze przez wszystkie nawiedzone polonistki, w których ręce w swoim życiu miałem szczęście wpaść. Och! Jaki byłem surowy i chętny do obróbki, jaki miałem otwarty umysł, jaki spragniony i żądny wiedzy, jaki chłonny, jaki nieukształtowany, a zarazem gotów na kształtowanie, ugniatanie, miętoszenie, formowanie. Nic dziwnego, że ta czy owa pani polonistka w obliczu mojej niedoskonałości, ale instynktownie czując we mnie potrzebę dążenia ku niej i w poczuciu konieczności spełnienia niecierpiącej zwłoki misji, z zapałem brała się za mój młody i dziewiczy jeszcze umysł. Z tego wszystkiego powstawało tyle wiatru, że starczyło go do rozwijania tak uczniowskich, jak polonistycznych skrzydeł, więc wznosiliśmy się i wznosili, coraz wyżej i wyżej od *Ferdydurke* po Słowackiego, od pożądania aż do spełnienia, od Obrzydłówka aż po Mont Blanc.

Z Mont Blanc zlądowałem na Mont Zapadłą Wieś, gdzieś w dalekiej guberni Prowincja, przemierzając kawał Polski od jednej granicy po drugą.

Nie. To nie był przypadek. Tak właśnie chciałem, albowiem, zbudowany niedoścignionym przykładem niejakiej Stasi Bozowskiej, pragnąłem poświęcić swe młode nauczycielskie siły pracy na rzecz najbardziej potrzebujących. Zdobyłem przecież tytuł magistra i wydawało mi się, że jestem niezwykle mądry. Ofertę swojej bezcennej pracy złożyłem więc w kilku kuratoriach, w daleko posuniętej skromności oczekując jedynie jakiegoś niewielkiego, służbowego, kawalerskiego mieszkanka. Jakoż propozycje nadeszły. Ja zaś wybrałem, jak się wkrótce okazało, ofertę najlepszą, bo wielce egzotyczną. Dlaczego egzotyczną? Ano dlatego, że wkrótce zaczęły mi dokuczać egipskie ciemności, a zaraz potem syberyjskie mrozy.

Zacznijmy od ciemności. Okno pokoju mojego rodzinnego domu wychodziło na ulicę pełną lamp, więc żeby mieć w nocy ciemno, musiałem je szczelnie zasłaniać. Nie inaczej było w akademiku, choć spać chodziło się tam raczej wraz ze świtem. Jakież było moje zdziwienie, gdy w moim nowym wiejskim mieszkanku którejś nocy zgasiłem światło, a następnie usiłowałem przemierzyć odległość od włącznika do łóżka. Poczułem się nagle tak, jak kiedyś pośrodku jeziora, na przepłynięcie którego namówił mnie kolega, a ja go bezmyślnie posłuchałem. Było to tak, że i dopłynąć brak siły i zawrócić się nie da, skoro odległość właściwie taka sama. Swoją drogą, kiedy stwierdziłem, że wstyd by się było teraz nagle utopić, nieomal potopiliśmy się obaj ze śmiechu. O ile kiedyś przeszkadzało mi światło, o tyle tu przeszkadzał mi jego brak, więc ani rusz nie mogłem zasnąć, rojąc rozmaite historie, jakie mogły się wydarzyć w tak starym domu, który zapewne przeżył już niejednego takiego jak ja mieszkańca.

Jeżeli chodzi o syberyjskie mrozy, to wprawdzie nigdy wcześniej na własnej skórze ich nie doświadczyłem, jednak nie inaczej je sobie wyobrażałem, gdy okazało się, że w moim mieszkaniu wiosną jest chłodniej niż na zewnątrz. Dlaczego? Ano chyba dlatego, że mury domu cały sezon nieogrzewane nagromadziły w sobie tyle chłodu, że pewnie dopiero pożar mógłby je natychmiast rozgrzać. Dysponuję tylko akumulacyjnym piecem, dzięki któremu mogę czuć się poniekąd jak na pustyni. Co prawda różnice temperatur na pustyni odnoszą się raczej do różnych pór doby, a u mnie dotyczą tylko różnych części ciała, ściślej zaś tyłu i przodu. Podczas gdy piec parzy mi plecy, usiłuję pisać coś przy stole w zeszycie skostaniałymi z zimna palcami. A pisać potrzebuję, i to dużo, bo jako początkującego belferka obowiązuje mnie przygotowywanie konspektów lekcji, w których muszę wykazać, że na każdej z nich zrealizuję trzy ambitne cele – poznawczy, kształcący i wychowawczy. Czas na pisanie wszakże mam, zwłaszcza zimą, bo dzień krótki, a i do spania nie jest spieszno w egipskich ciemnościach. Z owej twórczości radosnej wyrasta niemały zbiór rzetelnie opracowanych lekcji, opatrzonych fachową literaturą, kolorowych i pełnych wykresów, przygotowywanych pieczołowicie między innymi z braku innych ciekawszych zajęć, takich jak choćby, przez wcale niekrótki czas, oglądanie telewizji. Później na jednej z prowadzonych przeze mnie dla nauczycieli całego rejonu lekcji otwartych pożyczam je komuś na wieczne oddanie.

Telewizora nie posiadam, podobnie jak większości mebli i najpotrzebniejszych sprzętów. Nie mam więc kuchenki, odkurzacza, radyjka, lodówki, ale ta, póki co, jest zbędna. Cała kuchnia jest lodówką, podobnie zresztą jak korytarz i drugi pokoik.

Właśnie tak rozpoczyna się moja życiowa pedagogiczna przygoda, historia, która trwa do dziś, ale która podzielona jest na różne, stanowiące samoistne części, rozdziały. Najbardziej lubię rozdział pierwszy, bo wtedy właśnie czuję się jak jeden z pierwszych stworzonych przez Prometeusza ludzi: jestem słaby, bezbronny i błądzę w ciemności. A może to tylko pozory? Na pewno uczę się świata, rozwijam, przeżywam, a wszystko cieszy mnie jak małe dziecko...

Jestem nauczycielem? Czy jednym z uczniów? Czym się od nich różnię? I czy się różnię?

Ale zacznijmy od początku...

Jestem dumny ze szkoły, z którą na kilka lat łączy mnie los. To piękny dwuskrzydłowy budynek ze spadzistym dachem przykrytym czerwoną dachówką i kilkoma kominami. Na jednym z nich, tym nieczynnym, uwiły sobie gniazdo bociany. Dojście do szkoły stanowi brukowa dróżka, a posesja budynku wraz z ogródkiem otoczona jest żywopłotem, który od rana do wieczora, szczególnie wiosną, wrzeszczy wróblami. Ale wróble słychać głównie w czasie lekcji, bo na przerwach zagłusza je dzieciarnia. W piwnicach szkoły odbywają się zajęcia praktyczno-techniczne i tam właśnie buduje się między innymi budki dla ptaków, a na parterze znajdują się dwie sale lekcyjne, salka gimnastyczna, pokój nauczycielski i hol w jednym skrzydle budynku oraz kuchnia oraz świetlica w drugim. Świetlica w czasie długiej przerwy służy za stołówkę, a kuchnia od drugiej lekcji atakuje uczniowskie zmysły powonienia, przeszkadzając się uczyć. Skutkuje to tym, że raz na jakiś czas ten czy ów uczeń przerywa natchnionej polonistce recytację wiersza bądź bliskiemu Eureki matematykowi koncentrację krzykiem:

– Przypaliły mleko!

– Kto? – pyta wytrącony z transu. – Kiedy? Ale już po chwili wszystko staje się jasne, a właściwie śmierdzące.

Na górze kwitnie proceder początkowego nauczania i jest tu kilka sal lekcyjnych, a także gabinet dyrektora, który i tak najczęściej spędza przerwy wraz z nauczycielami, ponieważ samemu jest mu smutno. W czasie lekcji tu jednak wydaje się najbardziej wesoło, albowiem pani Kasia uczy na górze dzieci między innymi śpiewu, a pani Tereska języka rosyjskiego. Acha, jest jeszcze pani Mirka, która gra na flecie, a kiedy wraz z nią zaczyna grać cała klasa, to nawet w czasie lekcji wróble tracą tupet, a bociany przestają klekotać. Z okien klasy pani Mirki widać prawie całą wieś z górującym nad nią kościołem, obok którego z prawej jest plebania, biblioteka publiczna, a wcześniej wiejska świetlica i dwa sklepy. Mówimy tu o sercu wsi, bo oczywiście domy i gospodarstwa od tego centrum rozrzucone są po całej okolicy. Natomiast z okien klasy pani Tereski widać szkolne boisko, do niego przylega obejście jednego z ważniejszych wiejskich gospodarzy, który na zmianę z żoną trzyma wartę w oknie, bacząc, czy aby znów nie wpadnie mu do sadu piłka, a za nią kilku tratujących wszystko wyrostków. Gdy przechwyci piłkę, sprawa robi się poważna i musi interweniować nauczyciel, częściej jednak bywa tak, że uczniowie umykają wraz z piłką, pozostając nierozpoznanymi. Państwo Gąskowie mają solidarnie nienajlepszy wzrok, a te wszystkie chłopaki są przecież takie podobne. Co widać z okna dyrektora, tego już byle kto nie wie, bo jeśli nawet tam gościł, to okno powagą swojego autorytetu przesłaniał właśnie dyrektor. Na samej górze są jeszcze tajemnicze strychy, ale zawsze na głucho zamknięte i wolno tam wchodzić jedynie panu Mietkowi, palaczowi szkolnej kotłowni i konserwatorowi w jednej osobie, który zapewne umiałby to należycie wykorzystać, gdyby dane mu było znać *Skąpca* Moliera.

Szkoła przeżywa swoje wzloty i upadki, bo też społeczność wiejska popada to w wyże, to znów w demograficzne niże, raz jest więc klas i uczniów mniej, raz więcej, ale nigdy nie było tak, by w jej murach dało się pomieścić wszystko. Stanowczo nie mieszczą się więc tutaj biblioteczne zbiory, a z rzeczy bardziej prozaicznych – uczniowskie toalety. Na zajęcia wychowania fizycznego uczniowie wędrują do wiejskiej świetlicy, by ćwiczyć grę w tenisa. Nieco dalej na plebanii, w salce katechetycznej odbywają się zajęcia z religii. Po drodze ćwiczą także zmysł obserwacyjny, bo jak już powiedzieliśmy, tu bije serce wsi.

Wieś czasy świetności ma już za sobą. Nie wiedzie już przez nią żaden z głównych szlaków, nie jeździ już kolej żelazna, nie działa młyn ani skup żywca czy zlewnia mleka, a nade wszystko już nie ma tu wiejskiej gospody. A to, mówiąc między nami, dzięki zdecydowanej postawie działaczek Koła Gospodyń Wiejskich z Hanką Wysocką na czele. Tym to właśnie bojowniczkom o trzeźwość mężowskich umysłów zawdzięczam swoje wymarzone wiejskie mieszkanko. Ani ciasne, ani własne, za to jak najbardziej służbowe.

O prymat rywalizuje tu kilka instytucji i trzeba stwierdzić, że tak naprawdę żadna nie jest ważniejsza od innej, bo każda ma krąg odbiorców, dla których ważniejszej nie ma. Dla wierzących i gorliwie praktykujących jest to kościół, dla nauczycieli i uczniów jest to szkoła, dla pozbawionych gospody są to sklepy spożywczo-przemysłowe, przy których trwają w miarę swoich sił i środków aż do zamknięcia około dwudziestej drugiej, a następnie czekają na ich otwarcie jak na zmiłowanie w okolicach szóstej. Drogi wszystkich w centrum wsi wielokrotnie i codziennie się przecinają, każdy więc wie o każdym wszystko, a jeśli nawet nie wie, to i tak wie lepiej, niż gdyby naprawdę wiedział.

Centrum wsi przyciąga wszystkich jak święte miasto Mekka, przybywa więc każdy w ważnych sprawach, kiedy może i jak może. Jeden bryczką zaprzężoną w konia, drugi ciągnikiem, rowerem bądź innym jednośladem, i bywa, że zapominają, nie tylko po co przybyli, ale także czym. Ale to przecież zdarzyć się może każdemu i w każdej innej wsi, a także mieście, w kraju czy zagranicą. I mimo że, jak zdążyłem zauważyć, czasy świetności mamy tu za sobą, to przecież także tu bywają niezwykle ciekawi ludzie, którzy świat znają, nieobce są im arkana jakichś sztuk bądź natura obdarzyła ich wyjątkowymi talentami. To właśnie ta społeczność wydała na świat pewną znakomitą piosenkarkę i nie gdzie indziej bratał się z prostym ludem pewien znany aktor. Najmłodszemu pokoleniu tej małej ojczyzny z całego serca pragnę poświęcić swe wszystkie siły i przybywam z okrzykiem na ustach: „oto jestem!".

Wejście smoka.

Pierwsza rozmowa z dyrektorem jest trochę jak kubeł zimnej wody na rozgorączkowaną głowę.

– Oczywiście, że będzie miał pan etat, a może nawet kilka nadgodzin. Tylko że...

– Tak? – Przeciąganie słów przez mojego rozmówcę zaczyna mnie niepokoić.

– Sam pan rozumie, że w ośmioklasowej szkole podstawowej nie ma odpowiedniej liczby godzin dla nauczycieli poszczególnych przedmiotów...

– Co z tego wynika dla mnie?

– Mamy już jedną polonistkę, oczywiście godzin języka polskiego czy matematyki jest tu najwięcej, ale pełnych dwóch etatów niewątpliwie nie ma – kontynuuje niewzruszony.

– Skąd wobec tego etat dla mnie? – Jestem rozbrajająco zdziwiony.

– Miał pan na studiach rosyjski, prawda?

– Tak.

– Więc zna pan ten język.

– Zupełnie nieźle, ale dlaczego pan pyta?

– A historię? – znów odpowiada pytaniem na pytanie.

– No oczywiście.

– Więc i z tym pan sobie poradzi – stwierdza, a ja powoli zaczynam wszystko rozumieć.

– Do tego dostanie pan jakąś godzinę WF czy biologii, może PO i będzie pełniutki etat.

Jestem oszołomiony. Nie na to kształciła mnie przecież moja ukochana Alma Mater, nie po to wpojono mi tyle polonistycznej i górnolotnej wiedzy, bym teraz miał bawić się w przysposobienie obronne czy ręczne robótki. Historia? Rosyjski? Mój umysł pracuje intensywnie.

– Co pan o tym myśli? – dyrektor dopomina się o odpowiedź.

– Sam nie wiem...

– Bo trzeba panu wiedzieć, że my wszyscy, no może z wyjątkiem dyrektora, tak właśnie tutaj pracujemy.

– Ale czy ja dam radę? – mówię to bez udawanej skromności.

– Poradzi pan sobie – zapewnia mnie. Facet jest pewnie około dwadzieścia lat starszy, ma dużo większe doświadczenie i jest przekonujący.

– Dobra – zgadzam się. – Zresztą i tak nie ma już czasu na szukanie innej pracy, zwłaszcza zaś mieszkania.

– Innej pracy na wsi pan nie znajdzie, a jest mi skądinąd wiadomo, że właśnie taka pana interesuje.

Rzeczywiście, tak tłumaczyłem to w inspektoracie, gdzie za wszelką cenę usiłowano mnie przekonać do pracy w pobliskim miasteczku. Myślę, że wyszedłem tam na niezłego dziwaka.

– Dobrze, ale proszę o zgodę na rozliczanie się z konspektów tylko do lekcji języka polskiego – dodaję, bo nie wyobrażam sobie, abym miał robić wszystko inne.

– Zgoda. Rozkłady materiałów do innych przedmiotów dostanie pan od koleżanek, bo nie wiem, czy ma pan świadomość, że oprócz mnie jedynym pracującym tu mężczyzną jest ksiądz.

Szybko dowiedziałem się, czym to skutkuje. Przez kilka miesięcy uczniowie zwracali się do mnie: „proszę pani" albo „proszę księdza".

Później okazało się także, że oprócz dyrektora i mnie wyższe wykształcenie posiada jeszcze tylko jedna koleżanka, co sprawiło, że na pierwszej radzie pedagogicznej moja decyzja o podjęciu tu pracy wzbudziła zdumienie. Z największą naturalnością przyjmują mnie uczniowie. Dla nich jestem po prostu nowym nauczycielem, a do tego, że ciągle pojawia się ktoś nowy, a zaraz potem znika, już przywykli. Mnie też wróżą, zwłaszcza ci z klas starszych, czyli siódmych i ósmych, że wytrzymam nie dłużej niż rok. W starszych klasach uczę biologii, historii i PO, natomiast język polski oraz wychowawstwo otrzymuję w klasie piątej. Język polski prowadzę także w klasie szóstej. W swojej klasie mam jeszcze rosyjski i WF. Jestem w tej klasie już czwartym wychowawcą. Tylko jedną wychowawczynię na dłużej mieli w klasach 1–3. W pierwszym semestrze czwartej był już ktoś inny, w drugim jeszcze ktoś inny, a w piątej jestem ja. Nowość polega jedynie na tym, że dotychczas moi podopieczni mieli same panie. Życzliwe koleżanki donoszą mi, że przydzielono mi najgorszą klasę w szkole, więc kiedy idę na pierwsze spotkanie jestem czujny jak ważka i skoncentrowany do bólu. „Trafiła kosa na kamień" – myślę w duchu, widzę bowiem, że moi uczniowie lustrują mnie równie intensywnie. W klasie jest dziesięć dziewcząt i czternastu chłopców, wśród których od razu rzucają się w oczy różnice we wzroście. Pośród dziewcząt poziom jest raczej wyrównany. Po przywitaniu siadamy, przedstawiamy się sobie, rozmawiamy. Interesuje ich wszystko. Co odważniejsi podpytują, skąd jestem, ile mam lat, czy mam żonę i dzieci. Oczywiście także chcę się dowiedzieć od nich tego, co dla mnie najważniejsze. Moje ogólne wrażenie jest takie, że są zdecydowanie grzeczniejsi od swoich rówieśników z miasta, gdzie miałem praktyki studenckie. W myślach przestrzegam jednak sam siebie, że może to być tylko pierwsze wrażenie. Dowiaduję się, że tylko nieliczna z nich część mieszka w samej wsi, spora grupa mieszka w sąsiednich miejscowościach, skąd są dowożeni szkolnym transportem. Są też tacy, którzy mieszkają na koloniach i muszą pokonać po kilka kilometrów, by dojść czy dojechać rowerem do szkoły. Mam więc tylko kilkoro sąsiadów – uczniów ze swojej klasy, ale jak się już wkrótce okaże, w sumie niemało z klas innych. Przekonuję się, że centralne położenie mojego domu sprawi dość szybko, że moja praca wychowawcza absolutnie nie ograniczy się do godzin spędzonych w murach szkoły, jak długo bowiem będę przebywał na swojej posesji i w ogrodzie, tak długo będą mi towarzyszyli uczniowie. Z wychowawczego punktu widzenia jest to niezwykle interesujące doświadczenie, z punktu widzenia mojego prywatnego życia trochę mniej, póki co jednak takiego praktycznie tu nie mam. W ogrodzie przebywam dość często, bo prace ogrodowe lubię, a ten, który mi służbowo przysługuje, jest bardzo zaniedbany.

Któregoś dnia, gdy tak krzątam się po ogrodzie, naturalnie już po wypełnieniu codziennej kilkugodzinnej, oświatowej misji, dostrzegam zbliżającą się do mnie grupkę uczniów. To trzy dziewczyny i dwóch chłopaków.

– Proszę pana – zwraca się do mnie Kaśka z szóstej.

– Tak, słucham – odpowiadam niezwykle uprzejmie.

– Idziemy na grzyby – mówi Wojtek z mojej piątej.

– Domyśliłem się, bo wszyscy macie wiaderka.

– Idzie pan z nami! – proponuje Wojtek, a Rafał, też z piątej, dodaje:

– No...

– Ja? – Jestem nieco zdziwiony. – Nie znam tych lasów ani miejsc, a zresztą, po co mi grzyby... – zastanawiam się głośno.

– My znamy – zapewnia mnie Kaśka, a Julka (także z mojej piątej), która się dotąd nie odzywała, dodaje:

– Z nami pan nie zginie.

– Ile czasu to zajmie? – pytam, wiedząc, że mam jeszcze w domu sporo roboty, a oni uradowani, że już się zgodziłem, wykrzykują chórem:

– Najwyżej ze trzy godziny.

Jest czternasta, liczę sobie w myślach, wrócimy na siedemnastą.

– No dobra, idziemy – przystaję na propozycję, zaopatruję się w jakiś sprzęt i wyruszam razem z nimi.

Stanowimy chyba niecodzienne widowisko, bo na całej długości trasy ludzie przyglądają się nam z niezwykłą uwagą, a my kłaniamy się wszystkim uprzejmie, gawędząc sobie to o tym, to o owym. W pewnym momencie asfalt się kończy, a zaczyna piaszczysta dróżka, która wijąc się raz między polami, innym razem między łąkami czy pastwiskami, prowadzi nas aż na skraj lasu. Jest wspaniała wrześniowa pogoda, świeci słońce, a powietrze jest tak przezroczyste, że w dali za nami majaczy wieża wiejskiego kościoła oraz dachy co wyższych domów.

– Dlaczego przyszedł pan do nas uczyć? – dopytuje się Kaśka.
– Szczerze? – odpowiadam pytaniem na pytanie.
– No... – zachęca mnie Rafał.
– Odpowiem, jeśli Rafał mnie do tego przekona – przekomarzam się.
– Przecież powiedział – oburza się Wojtek.
– Tylko „no" – śmieję się. – Czy on czasem mówi coś więcej.
– Rafał! Powiedz coś – zachęca go Julka, a Rafał czerwieni się po uszy.

Patrzę na niego i robi mi się go żal. Skąd mogłem wiedzieć, że jest taki wstydliwy.

– To był tylko żart, już mówię – uśmiecham się do Rafała. – Więc, moi drodzy, a zwłaszcza pani Katarzyno, to jest czysty przypadek.
– Co? – pyta Elka, która jest koleżanką Kaśki z szóstej.
– To, że jestem akurat tutaj.
– Jak to? – ciekawi się Wojtek.
– Po prostu. Szukałem na wsi pracy z mieszkaniem. Ofert nie było aż tak wiele, a spośród otrzymanych wybrałem tę, bo wydawała mi się najlepsza.
– Dlaczego? – Czyjś głos domaga się więcej, a ku naszemu zdumieniu ten głos należy do Rafała.
– Bo tu mam pracę i mieszkanie w jednym miejscu. Nie muszę dojeżdżać. Wyobraźcie sobie, że przez pięć lat dojeżdżałem do szkoły, wstając i wyjeżdżając w nocy i w nocy powracając do domu. Obiecałem sobie, że to się nie może w moim życiu powtórzyć.
– Fakt! – zgadza się Wojtek. – Dojeżdżanie jest straszne. Tu od nas sporo ludzi jeździ do pracy do miasta.
– Ale to mieszkanie – śmieje się Kaśka – chyba nie takie nadzwyczajne.
– Tak czy inaczej to moje pierwsze mieszkanie, a nie na przykład stancja. Mogę w nim robić, co zechcę, umeblować, pomalować... No i przy domu jest ogród, a dla mnie to bardzo ważne.

Ledwie dopowiadam zdanie, a już słyszę:

– Dlaczego? – i myślę sobie, że tym pytaniom nie będzie końca. Staram się jednak odpowiadać cierpliwie.
– Każdy ma jakieś zamiłowania. Ja interesuję się literaturą, ale ogród to także moje hobby.
– W mieście nie znalazłby pan lepszej pracy? – Kaśka nie chce ustąpić.
– Skąd wiadomo, która praca jest lepsza, jeśli się nie spróbuje? Tu mam pracę, dom i ogród, na razie niczego więcej mi nie trzeba... – próbuję uciąć rozmowę na mój temat. – A jakie są wasze zainteresowania? Macie jakieś hobby?

– Muzyka – wyrywa się Kaśka.
– Samochody – mówi Wojtek.
– Ja chcę zostać fryzjerką – informuje Elka.
– A ja nauczycielką – zwierza się Julka.
– Nauczycielką? – jestem zaciekawiony. – Ale jakiego przedmiotu?
Dziewczyna jest bardzo sympatyczna i przypomina nieco Pippi Langstrump. Ma włosy upięte w dwa symetryczne kucki i kilka piegów na policzkach. Jak się wkrótce okaże, najbardziej bohaterkę szwedzkiej powieści przypomina pod względem gadulstwa. Lubi mówić dużo, a to, co mówi, wcale nie musi być w danej chwili ważne ani potrzebne.
– Chciałabym skończyć nauczanie początkowe...
– Jeśli zechcesz, to skończysz i nauczycielką zostaniesz – podsumowuję. – A ty, Rafał? – pytam, ale odpowiedź słyszę od Julki.
– On hoduje gołębie.
– No, to też ciekawe hobby! – reaguję żywo.
– On wie o nich wszystko – dodaje Wojtek, a Rafał znowu się czerwieni.
– A jakie masz gołębie? – dopytuję się, ale zamiast Rafała znów odpowiada ktoś inny.
– Rasowe ma, proszę pana – wyjaśnia Kaśka. – Pocztowe, pawiki...
– Bociany, winerki...
– O ho, ho! To ja nawet takich ras nie znam – przyznaję się.
– Ale... – Ku mojemu zdumieniu odzywa się Rafał. – Najładniejsze są jastrzębie...
– I masz takie? – Temat mnie zaciekawia.
– Nie. Ale będę miał... – odpowiada stanowczo Rafał.
– Jesteśmy na miejscu! – komunikuje Wojtek, gdy przed naszymi nosami wyrasta nagle ściana lasu.
Las jest mieszany, taki, jaki najbardziej lubię, obok siebie rosną dorodne świerki, dęby, lipy, buki, brzozy. Niestety las nie jest zbyt czysty, jest nieco zakrzaczony i miejscami porośnięty jeżyną. Okazuje się jednak, że to wcale nie tu mamy rozpocząć grzybobranie.
– Wejdziemy głębiej, gdzie rosną młode brzózki i świerczki – oznajmia nam Wojtek. – Tam powinno być sporo koźlaków i czerwonych.
– Tylko nie rozchodźcie się – proszę. – Żebyśmy się nie pogubili.
Śmieją się wszyscy ze mnie, a Wojtek dodaje:
– Niech się pan nas dobrze pilnuje, my jesteśmy tu już nie pierwszy raz.
– Tego możecie być pewni, sam nie ruszę się nawet na krok. Ostatni raz na grzybach byłem chyba z pięć lat temu.
– Mamy nadzieję, że zna się pan na nich trochę – pokpiwa sobie ze mnie Kaśka.

– W razie czego mam was, nie prawdaż? Najbardziej popularne gatunki znam jednak z całą pewnością.

Po chwili rozpoczyna się to, co nazywam radością zbierania, bo nie o pełny koszyk tu przecież chodzi, ale o samą przyjemność zgodnego z ludzką naturą tropienia i polowania, a później po trosze także i rywalizacji.

– Mam kozaka! – woła Julka.

– A ja czerwonego łebka! – chwali się Kaśka.

– Ja też! – krzyczy Wojtek.

– I ja! – wtóruje mu Elka.

Nie odzywam się tylko ja i Rafał. Ja, wiem dlaczego, a z jakiego powodu Rafał, nie wiem. Z nim akurat wszystko jest możliwe. Nie odzywa się, bo nic nie znalazł, albo znalazł i też się nie odzywa. „No, rusz się, stary – mówię w myślach sam do siebie – bo małolaty będą się z ciebie śmiały. Znajdź coś". Tymczasem krzyczy jednak Wojtek:

– Mam prawdziwka!

– Akurat... – powątpiewa Kaśka, a ja słyszę, że jego głos dobiega gdzieś z boku, z dębczaków.

– A, zdrajca! – atakuję chłopaka. – Nas wysłał w brzózki na koźlaki, a sam poszedł w dęby na borowiki... Ładnie to?

– To nie tak... – broni się Wojtek. – Ja tu zajrzałem przypadkiem.

– Tak, tak – przedrzeźniam go. – Bardzo wszystkich przepraszam, to się więcej nie powtórzy.

– Nie, no, czemu... – śmieje się Wojtek. – Wy przecież też tu możecie szukać – zachęca. – Niech pan podejdzie do mnie – przywołuje mnie.

– Co się stało?

– Chcę panu coś pokazać.

Widok jest rzeczywiście wart obejrzenia. Między dwoma dębczakami, wśród leśnego runa rzuca się w oczy brązowy punkt. Gdy się zbliżam, punkt nabiera kształtu kapelusza, który osadzony jest na jasnej, gruszkowatej nodze. Kapelusz ma wielkość spodka od filiżanki.

– Szkoda, że nie mamy przy sobie aparatu – jestem zachwycony.

– Ostrożnie! – uprzedza mnie Wojtek, gdy usiłuję pochylić się nad królewskim grzybem.

– O co chodzi? Chcesz, żebym go nie przestraszył?

– Tu, pod nogą – Wojtek wskazuje na moją prawą kończynę dolną, a ja dopiero wtedy dostrzegam nieco mniejsze, dwa zrośnięte ze sobą prawdziwki. O mały włos bym je zdeptał.

Powoli wszystkie wiaderka się zapełniają. Ja także nie jestem gorszy. W pewnym momencie dociera do mnie, że jest już po szesnastej.

– Słuchajcie! – zwracam się do wszystkich. – Trzeba chyba powoli wracać...

– Zatoczymy koło i znajdziemy się na drodze powrotnej – oznajmia Wojtek.

Ponieważ wszyscy się na to zgadzają, wchodzimy nieco głębiej w las, a Wojtek robi za przewodnika. Im dłużej jesteśmy w lesie, tym więcej przybywa grzybów w naszych wiadrach, ale wyjścia z lasu nie widać. Niepokoi mnie to od pewnego czasu, ale oczywiście nieprędko się do tego przyznam. Jestem całkowicie zdany na te małolaty, bowiem nie znam tych stron, ale jednocześnie wiem, że bez względu na to, nie oni za mnie, ale ja za nich ponoszę tu odpowiedzialność. „Jeśli zabłądzimy – ta zatrważająca myśl nie daje mi spokoju – nie wiem, jak się z tego wytłumaczę. No i oczywiście, kiedy. Przecież nie wiem ani dokąd brniemy, ani kiedy stąd wreszcie wyjdziemy. No i w jakim stanie. Już jesteśmy głodni, za chwilę zapewne zmarzniemy, a jeszcze później zrobi się ciemno. Jeżeli w lesie zastanie nas noc, ani chybi zaczną nas szukać służby leśne, policja, a potem wojsko i ochotnicy z całej wsi. To byłby koniec. Moja kariera pedagogiczna skończona na wstępie. Naszemu odnalezieniu towarzyszyłyby ekipy telewizyjne i dziennikarze radiowi, usłyszeliby o mnie koleżanki i koledzy ze studiów w całej Polsce, a może i zagranicą i wcale nietrudno mi się domyślić, co powiedzieliby, komentując tę radosną nowinę:

– O, nie! To znowu Maras! Znów chciał dobrze, a wyszło mu inaczej. Ciekawe, jak on tym razem z tego wyjdzie...".

Tymczasem kroczymy za Wojtkiem, las jak gęstniał, tak gęstnieje nadal, a jeśli cokolwiek rzednie, to co najwyżej nasze miny. Ja swych obaw jednak głośno nie wypowiem.

– Chce mi się jeść – stwierdza Kaśka, a Elka, niczym wyrocznia ze słynnych Delf, wieszczy:

– Zabłądziliśmy!

– I co teraz? – wyrywa się jednocześnie mnie i... Rafałowi. Po czym obaj zdziwieni spoglądamy na siebie.

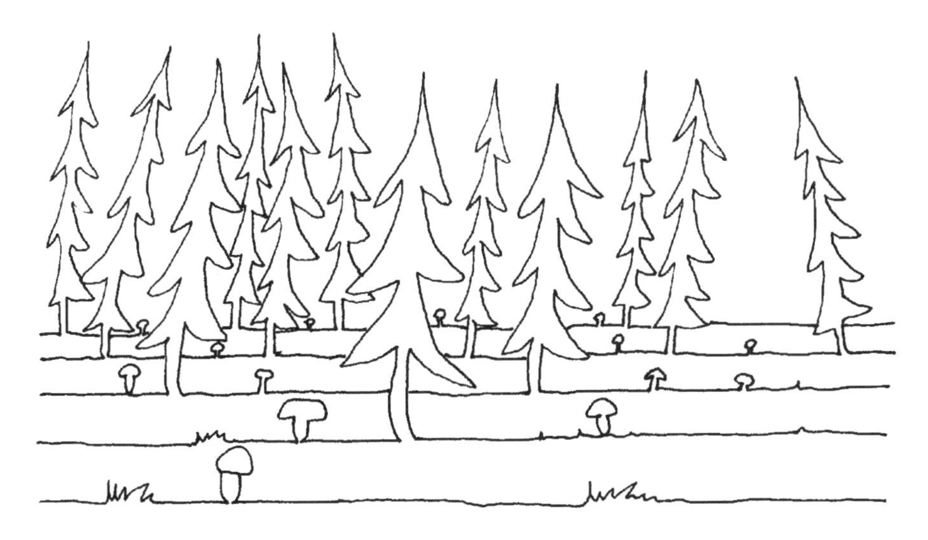

– Ja chcę do mamy – żartuje Julka.

– A ja do taty – przedrzeźnia ją Wojtek, któremu najwyraźniej nie w smak, że stracił panowanie nad sytuacją.

Złowróżbną ciszę, która zapadła na dobrych kilka minut przerywa dopiero głos Kaśki:

– Las się kończy!

A uradowany Wojtek dopowiada:

– Tam z przodu widać dachy domów.

Po chwili przekonujemy się, że widać dachy domów, tyle że nie naszej wsi. Zbliżamy się bowiem do oddalonych od niej o 7 kilometrów Brzezin. Nic to. Nieważne, że jest to wieś znienawidzona przez mieszkańców naszych Dębin od lat. Nieważne, że prawie na każdej zabawie nasze wsie toczą między sobą bitwy na sztachety, o czym już niedługo dane będzie mi się przekonać osobiście. Dziś, widząc Brzeziny, jesteśmy szczęśliwi, bo nareszcie wiemy, gdzie jesteśmy. Humory wracają.

– Nie przyznajemy się, że zabłądziliśmy, co? – proponuje Wojtek.

– Pewnie, że nie – śmieje się Kaśka. – Powiemy, że przebyliśmy drogę zgodnie z założonym z góry przez przewodnika planem.

– Nie przesadzajcie! – broni się Wojtek. – Niewielkie zboczenie z kursu może się zdarzyć każdemu.

– Niewielkie?! – Elka jest bezlitosna. – Jakieś 10 kilometrów.

– Na prawdziwych wyprawach tego się nawet nie zauważa.

– Ale my byliśmy na grzybach. Po prostu na grzybach. Pamiętasz? – drwi dalej Elka, a ja myślę sobie, że nie chciałbym być teraz w skórze Wojtka.

Kiedy zwycięsko wkraczamy do wsi, a jest już około dwudziestej pierwszej, dość szybko tracimy tupet. Już z dala dostrzegamy w samym centrum wsi sylwetki kilku kobiet i nie trzeba być prorokiem, by się zorientować, że są to matki moich grzybiarzy. Nie słyszałem już dawno tak wielu równocześnie wypowiedzianych zdań i choć żadne z nich nie było adresowane bezpośrednio do mnie, oczywiste było, że z pewnością mam je wyraźnie usłyszeć. Tę noc spędzam na przemyśleniach, a za pokutę wyznaczam sobie czyszczenie grzybów.

Mogłem się tego spodziewać. Przecież to tylko wieś. Nikt mi nic nie mówi, ale wszyscy wymownie patrzą. Także w szkole. Ale mają ubaw. A niech to. Rzeczywiście dostarczyłem rozrywki. Może to i dobrze. W końcu tak niewiele się tu dzieje. Tylko dyrektor zagaduje mnie wprost:

– Jak tam grzybobranie? Udane?

– Pod względem ilości i jakości zbioru, owszem, panie dyrektorze.

– No, drogi kolego, to chyba najważniejsze...

– Zapewne.

– Wszystko dobre, co się dobrze kończy. Głowa do góry! – uśmiecha się.

Ja natomiast odnotowuję jeszcze jeden plus. Moja popularność wśród uczniów wzrasta o kilka punktów. Odtąd nie mam żadnych problemów, by zorganizować grupę do jakiegokolwiek zadania. Przeciwnie, mam więcej chętnych niż potrzeba. Jestem też zapraszany przez uczniów wszędzie tam, gdzie oni sami coś organizują, choćby to była tylko gra w nogę po lekcjach.

◇ ◇ ◇

Póki co, zaczynam urządzać moje zimne mieszkanie. Na razie ograniczam się do planowania, jak wydać przysługujące mi pieniądze na zagospodarowanie się. Jeśli je wezmę, zobowiążę się do odpracowania tutaj sześciu lat. Rozważam więc za i przeciw. „Za" przemawia to, że jest to kilka miesięcznych pensji. „Przeciw" – że nieprędko będę mógł zmienić życiowe plany. Kiedy jestem już bliski podjęcia decyzji „za", panie z księgowości odradzają mi, ponieważ w najbliższym czasie ma nastąpić znacząca podwyżka owego uposażenia. Wstrzymanie się doradza mi także dyrektor. Ten ostatni proponuje mi również pożyczkę ze szkolnej kasy, abym mógł sobie kupić pokojowy segment i zwrócić pieniądze, kiedy otrzymam dodatek. Ostatecznie tak właśnie robię. To znaczy kupuję segment i to pierwszy lepszy, bo czasy są takie, że wyboru nie ma. Kupuję go w pobliskim miasteczku, którym wzgardziłem, nie chcąc podjąć w nim pracy. Odpłaca mi więc ono teraz niepiękną meblościanką. Co tam. I tak jestem szczęśliwy, mogę wreszcie poukładać po ludzku nieco swoich ciuchów i staję się posiadaczem kilku przestrzennych półek na, jakże modne obecnie, kryształy. Niebawem zacznę je dostawać. Mogę też wyeksponować swoje książki, tak żeby widzieć w końcu, gdzie jest która, i ciągle jakiejś bezskutecznie nie szukać. Na dobre zaczynam więc urządzać swoje gniazdko. Ja zacząłem działać, ale obiecana ekipa od centralnego ogrzewania – nie. Tak zastają mnie pierwsze chłody. W tych właśnie okolicznościach troskliwy inspektorat, odpowiedzialny skądinąd za remont, wyposaża mnie w akumulacyjny piec. Jest tak ciężki, że postawiony przez robotników w jednym miejscu, za nic nie daje się przestawić gdzie indziej. Poza ciężarem i wielkością w jeszcze jednym przypomina bestię: ma ogromny apetyt na prąd. Przekonuję się o tym po pierwszym rachunku, który przychodzi od czasu włączenia pieca. Piec stanowi też niezłą, ale niebezpieczną suszarkę. Któregoś wieczoru kładę na nim upraną białą, grubą i ciepłą podkoszulkę. Nad ranem znajduję ją w kolorze brązu, miejscami zwęgloną. Pamiętam, że właśnie wtedy po raz pierwszy przychodzi mi do głowy owa myśl, która całe życie powraca jak natręctwo. Czy musiałem cię najpierw wyprać, żeby cię teraz wyrzucić? A później i wiele razy w różnych okolicznościach: czy musiałem cię najpierw naprawić, żeby cię teraz zgubić? Czyż nie mogłem najpierw wydać pieniędzy, zanim zgubiłem portfel?...

Oprócz segmentu nabywam także firany i zasłony. Ktoś ze znajomych załatwia mi je spod lady. Zasłony są przepiękne. To tak zwany plusz w kolorze miodu.

Po powieszeniu zasłon w moim pokoju od razu robi się cieplej, a już na pewno bardziej intymnie, dotychczas bowiem, przez to że mieszkam na parterze, miałem wrażenie, że cała wieś widzi, co robię. Z czasem okaże się, że zasłony mają też swoje wady, jak choćby duży ciężar, jednak w letnie upały, do których dziś jeszcze daleko, z dnia będę mógł dzięki nim zrobić sobie noc. Kiedy pierwszy pokój mam już jako tako urządzony, zaczynam myśleć o kuchni. Myślenie o segmencie kuchennym zawsze jest powiązane z kredytem. Powoli dojrzewam i do tej decyzji, a kiedy osiągnę stan dojrzałości, kupię kolejną brzydką, ale przecież wygodną meblościankę na talerze, garnki szklanki, kubki i sztućce, których się przecież kiedyś w życiu dorobię.

Tymczasem w szkole organizuję koło biologiczne. Jest dobra okazja, ponieważ jeden z tematów z biologii przewidzianych na najbliższe lekcje dotyczy zakładania akwarium. Przez wiele lat hodowałem rybki, więc doskonale się na tym znam i postanawiam, że nie poprzestaniemy na teorii. Dyrektor nie ma nic przeciwko.

– Wydaje mi się, drogi kolego, że mamy tam nawet na strychu jakiś zbiornik, a może nawet dwa – informuje mnie.

Chętni do pracy w kole biologicznym zostają po lekcjach. Jednym z pierwszych chętnych jest oczywiście Wojtek, zgłaszają się też wszyscy amatorzy grzybów.

– O rany, nie wiedziałem, że jest tu tyle skarbów! – Wojtek szeroko otwartymi oczami wodzi po zakamarkach strychu, kiedy wkraczamy na zakazany dla uczniów teren.

Sam też chcę uważnie przyjrzeć się wszystkiemu, by stwierdzić, co jeszcze mogłoby się nam w przyszłości przydać.

– Jest akwarium – woła Kaśka, która dziwnym trafem jest zawsze tam, gdzie Wojtek, zatem i ona zgłosiła się do pracy w kole biologicznym.

Akwarium na nóżkach jest wąskie na dwadzieścia centymetrów, a szerokie na pół metra. Bardziej to zbiornik doświadczalny niż akwarium, ale lepszy rydz niż nic. Wydaje nam się, że mieści około piętnastu litrów wody.

– Na drobniejsze rybki będzie się nadawało – głosem znawcy oznajmia Marcin.

Marcin jest uczniem piątej klasy, rówieśnikiem Wojtka. Nie należy do chłopców, których otacza wielu kolegów, jest uważany za zarozumialca, który ma wszystko, ponieważ jest synem sołtysa, najbogatszego gospodarza we wsi. Jego zgłoszenie do pracy w kole wielu przyjęło z niechęcią, uparłem się jednak, że trzeba dać mu szansę.

– Znasz się na akwarystyce? – Jestem zaciekawiony.

– Trochę – odpowiada Marcin. – Mam w domu akwarium i nieco rybek.

– Nigdy się nie chwaliłeś – zauważa Wojtek.

– Nikt mnie nigdy o to nie pytał – odparowuje Marcin.

– Nikt nie wiedział, że można cię o to pytać – próbuję pogodzić chłopaków. – Powiedz, jakie masz ryby w akwarium.

– Różne. – Marcin ożywia się. – Ale przede wszystkim takie, które nadają się do wspólnego chowu i do takiego zbiornika, jaki mam.

– A jakie masz akwarium? – dopytuje się Elka.

– Studwudziestolitrowe – z dumą w głosie odpowiada Marcin.

– Spore – zauważa Wojtek. – No i co z tymi rybami? – ponagla Marcina.

– Najpiękniejsze są skalary. Mam ich kilka odmian. Potem gurami, glonojady, mieczyki, molinezje – wylicza i objaśnia, a mnie przychodzi do głowy znakomita myśl. Z pomocą tego chłopaka przygotuję oryginalną lekcję o zakładaniu akwarium, a potem o akwarystyce i rybach akwariowych.

– Chętnie obejrzelibyśmy to twoje rybie królestwo – próbuję zasugerować Marcinowi, że nie mielibyśmy nic przeciwko temu, aby nas kiedyś do siebie zaprosił.

– Można obejrzeć – skwapliwie zgadza się Marcin.

– No, to kiedyś się umówimy – podsumowuję.

– Jest jeszcze jedno akwarium! – tryumfalnie krzyczy Rafał. – Większe.

Gromadzimy się wszyscy wokół Rafała. Rzeczywiście, zbiornik jest około sześćdziesięciolitrowy. Ten ma metalowe obramowanie, ale jest bez podstawy.

– No, to jesteśmy uratowani – stwierdzam.

– Dlaczego? – pytają uczniowie niemal zgodnym chórem, a ja robię tajemniczą minę.

– Myślę, że Marcin może nam to objaśnić – stwierdzam, po czym zwracam się do niego: – Możesz to zrobić?

– Chyba tak – odpowiada chłopak, który nie jest już wcale taki wyniosły, wydaje się nawet trochę stremowany.

– Dlaczego? – powtarza Kaśka.

– Ten większy zbiornik to będzie akwarium główne, a ten mniejszy przyda się do odchowywania narybku... – wyjaśnia Marcin, a wszyscy z niedowierzaniem spoglądają na mnie.

– Jakiego narybku? – dziwi się Wojtek

– Marcin ma rację. – Czuję, że pochwała sprawia chłopakowi przyjemność. – Niektóre gatunki ryb akwariowych dość łatwo się rozmnażają. Narybek trzeba jednak natychmiast odłowić, aby nie zjadły go większe ryby. Najlepiej zaś odłowić tak zwaną kotną samicę.

– Jak to kotną? – śmieje się Wojtek. – To ryby się kocą? – Wesołość udziela się wszystkim. – A czemu nie szczenią?

– Albo cielą? – dodaje Kaśka.

– Nie wszystko na raz – próbuję ich uspokoić. – Dojdziemy do tego w swoim czasie. Dziś musimy jeszcze do zbiorników nalać wody i zobaczyć, czy są szczelne. To zresztą okaże się dopiero jutro.

Kiedy kończymy, odsyłam wszystkich do domów, a Marcina zatrzymuję na krótką rozmowę i przedstawiam mu swój pomysł na lekcję. Marcin jest całkowicie zaskoczony, ale po chwili wahania zgadza się. Pomysł podoba się także dyrektorowi. Postanawia przyjść na tę lekcję, a nawet zaprosić na nią chętnych rodziców.

Nasze akwaria trochę przeciekają. Tu i ówdzie trzeba wydłubać delikatnie kit, a następnie włożyć nowy. Koniecznie czerwony, który, w przeciwieństwie do białego, jest wodoszczelny. Jest to dla nas dobra szkoła cierpliwości, bo chcielibyśmy zakładać już akwaria, a zbiorniki wciąż gdzieś przeciekają.

Tymczasem udajemy się do Marcina. Akwarium, które ma w swoim pokoju, rzeczywiście jest imponujące. Jest utrzymane w absolutnej czystości, ma bujną roślinność, jest prawidłowo podświetlone. W wodzie pracuje natleniacz i filtr, a o pracy tych urządzeń Marcin opowiada wszystkim z niezwykłym przejęciem. Ma wiedzę na temat konieczności utrzymania niezbędnej w takim sztucznym zbiorniku równowagi biologicznej. Towarzystwo słucha go z ogromnym przejęciem, a kiedy mama Marcina podaje herbatę i ciasto, ja daję się zaprosić przez rodziców na kawę do innego pokoju.

– Ogromnie się cieszę, że odwiedził pan Marcina z dzieciakami – stwierdza pani Jasińska.

– Skorzystaliśmy tylko z zaproszenia.

– Tak, wiem, tyle że dotychczas koledzy go nie odwiedzali, a teraz razem z panem...

– To kwestia nowych zainteresowań...

– Ale to pana zasługa – wtrąca się gospodarz.

– To z kolei kwestia mojej ciekawskiej natury – obracam wszystko w żart, ale wiem, że od pewnego czasu nie mówi się o mnie we wsi najgorzej.

◇ ◇ ◇

Czynimy przygotowania do lekcji biologii. Na zajęciach koła biologicznego płuczemy żwir do akwarium. I tu mały zgrzyt. Prosiłem chłopców, żeby po nabraniu do wiadra wody wychodzili płukać piasek na zewnątrz szkoły i wylewali wodę do kratki kanalizacyjnej, ale oczywiście mnie nie posłuchali i zapchali w łazience umywalkę. Dostało im się od woźnej, mnie niestety też. Pani Kuchta, kobieta niewysoka, przy kości, krótko ścięta i często paradująca po szkole w kolorowej chustce na głowie zawiązanej na supeł pod brodą, oświadczyła też, że pójdzie na skargę do dyrektora, bo zabrudziliśmy całą szkołę i choć usiłowaliśmy co nieco posprzątać, nic nie pomogło. Na drugi dzień istotnie idzie. Bo to już ludzkie pojęcie przechodzi, co się ostatnio w tej szkole wyrabia. Kiedyś lekcje kończyły się i był spokój. I posprzątać było można, i był porządek. A teraz to Pan Bóg jeden wie, co oni tu wyprawiają. Jakby domów nie mieli, pałętają się po tej szkole. Jakby roboty w domu żadnej nie mieli, skaranie Boskie. Za naukę by się wzięli. O, to by było najlepiej, za książki. A to jeden z drugim same nieuki! Że też ojciec z matką kija na takich nie wezmą...

Dyrektor naturalnie mnie wzywa. Na drugi dzień.

– Wie pan, co?

– Zgadza się – przyznaję – trochę nabałaganiliśmy. Pokornie przyznaję się do winy.

– Nie o to chodzi. Tej kobiety się już nie zmieni. Chcę, żeby czasem jej trochę ustąpić, ale jednocześnie nie zrażać się i robić swoje.

Tylko tyle? A może aż tyle. Nie ma sprawy, na to nas na pewno stać.

Kiedy nadchodzi czas lekcji, zastanawiam się, do czego ja tu jeszcze jestem potrzebny. Temat zakładania akwarium omawiają młodzi biologowie z koła, a wykład na temat jego mieszkańców ilustrowany fotografiami oraz własnoręcznie wykonanymi ilustracjami ryb prowadzi Marcin. W pewnym momencie z niepokojem spoglądam na dyrektora, który jest w towarzystwie kilkorga rodziców, czy aby nie uzna, że mój udział w lekcji jest zbyt bierny.

Później okazuje się, że nie uznaje. Kwituje to jednym zdaniem:

– Szkoda, że każda lekcja nie może tak wyglądać.

To oczywiste, że nie może. Też mam tego świadomość. Muszą być również lekcje nudniejsze. Bardziej teoretyczne i mniej atrakcyjne dla uczniów. Postanawiam jednak angażować ich w przygotowanie lekcji zawsze wtedy, kiedy tylko nadarzy się do tego okazja. Przypadkiem wychodzi na jaw, że Marcin ma też talent plastyczny.

◊ ◊ ◊

Po lekcjach dla rozluźnienia postanawiamy pograć w piłkę nożną. Umawiamy się na boisku szkolnym o szesnastej. Grać przychodzi każdy, kto ma ochotę. Nawet ci, którzy już nie są uczniami naszej szkoły. W ten sposób poznaję rodzeństwo swoich podopiecznych, ich kolegów czy koleżanki, bo one także przychodzą pograć lub choćby tylko na grę popatrzeć.

Tym razem po obu stronach mamy po siedmiu zawodników, jeden jest rezerwowy. Dobieramy się zupełnie przypadkiem. Ja tradycyjnie staję na bramce. Nie bardzo chce mi się biegać, a z funkcją bramkarza radzę sobie nieźle. W mojej drużynie dobrali się sami moi wychowankowie. Oczywiście za wszelką cenę chcemy wygrać. Pan też się stara, nie może przecież zrobić swoim uczniom zawodu. Gra od początku jest wyrównana. Kilka razy zbyt niebezpiecznie wybiegam od bramki, ale sytuację ratują Wojtek i Tomek, zapalony piłkarz, o którym jeszcze nie wspominałem. Tomek, którego jest pełno wszędzie, w ataku i w obronie, zdobywa dla nas po akcji przeprowadzonej z Rafałem na początku drugiej połowy jednobramkową przewagę. Nasi przeciwnicy są wściekli. Od tej pory atakują z furią. Z trudem śledzę bieg wydarzeń.

– Nie zasłaniajcie mi pola! – krzyczę do swoich.

Nikt tu jednak nikogo nie słucha. W pewnym momencie moja obrona się gubi. Zostaję sam na sam z jakimś wyrostkiem, którego nie znam. Ten za chwilę tak mi się przedstawi, że popamiętam go do końca życia. Strzela w lewy róg z największą siłą, jaką go Pan Bóg obdarzył. W ostatniej chwili wystawiam lewą nogę i trafiam piłkę, tyle że prawa już do lewej nie dołącza. Wpadam w poślizg i robię szpagat, tyleż niespodziewany, co bolesny. Radość z obronionej bramki w drużynie jest tak wielka, że nikt nie zwraca na mnie uwagi, ale ja o własnych siłach już nie wstanę. Do świadomości zawodników dociera to dopiero wtedy, kiedy próbują przypuścić na moją bramkę kolejny atak i dostrzegają wreszcie, że zwijam się z bólu. Ktoś przerywa grę. Podbiega Wojtek.

– Może pan wstać?

– Nie. Nie mogę nawet ruszyć nogą – mówię, zaciskając z bólu zęby.

Nie mogę wyprostować lewej nogi, a każda próba ruchu sprawia paraliżujący ból. Nie wiadomo skąd zjawia się nagle dyrektor, w ciągu pół godziny pojawia się karetka pogotowia. Choć ból prawie mi na to nie pozwala, jadę i myślę. Że też mnie podkusiło bronić tego cholernego gola. A niech by sobie chłopak strzelił, wyrównał. Zachciało mi się popisywać przed małolatami futbolowymi umiejętnościami. Stary kretyn! Już sobie wyobrażam, co pomyśleliby sobie o mnie znajomi ze studiów, gdyby się, nie daj Boże, dowiedzieli, w co się znów wpakowałem. A jeśli mam skomplikowane złamanie? Piękny pedagogiczny debiut. Początkujący nauczyciel przesiedział półrocze na zwolnieniu lekarskim. Lepiej, żeby mi się to przydarzyło w wojsku... Tam miałbym przynajmniej opiekę na izbie chorych. I... o pół roku przedłużoną służbę wojskową. A niech to!

Na drugi dzień wracam do domu z gipsem. Pozrywane ścięgna, pęknięcie, wprawdzie przeżyję, ale jestem załamany. Tyle roboty w domu. Tyle planów do zrealizowania w szkole. Co ja teraz zrobię? Cholerny pech, złorzeczę w duchu. Co mi z tego zwolnienia? Gdybym był w miarę sprawny, byłbym w stanie zrobić coś przynajmniej w domu. Z kolei moja niepełnosprawność fizyczna na dobrą sprawę wcale nie musiałaby przeszkadzać mi w prowadzeniu lekcji. Jakieś wyjście przecież być musi, chwilę trzeba poczekać, samo życie przynosi najlepsze rozwiązania.

Po lekcjach są u mnie dzieciaki. Martwią się, gdy mówię, że mam miesiąc zwolnienia.

– Mieliśmy przecież przygotować przedstawienie na dzień nauczyciela – przypomina Kaśka.

– Przygotujemy – deklaruję. – Próby będziemy robić w szkole czy u mnie, to bez znaczenia.

– No właśnie – wyrywa się Wojtek. – Żeby tylko wszyscy nauczyli się dobrze swoich ról.

– Bez pana nie gramy – Kaśka uświadamia mi, jakie warunki ze mną wynegocjowali.

Ponieważ nikt się nie chciał zgodzić na występy, obiecałem, że jakąś rolę przydzielę także sobie.

– Mam trochę inne zmartwienie – wyrywa mi się niechcący.

– Jakie? – pytają zgodnym chórem.

– Jutro mam odebrać w sklepie w Kościelnie meble do kuchni...

– To my pojedziemy – deklaruje się Wojtek.

– Spokojnie. Tu trzeba kogoś z pojazdem. Jakoś załatwię to we wsi.

Na próbę umawiamy się jeszcze dziś za dwie godziny. Transport się jakoś załatwi. Muszę teraz pomyśleć, jak zmodyfikować swoją rolę, by dostosować ją do sytuacji, w jakiej się znalazłem. Mam dużo czasu na myślenie, z obolałą nogą nie mogę w nocy spać. Dzieciaki przychodzą trochę przed czasem, a wraz z nimi ojciec Marcina.

– Wie pan co... przywiozę jutro panu te meble... – oświadcza, przywitawszy się ze mną.

– Jakie meble? – jestem tak zaskoczony, że zapominam o swoim kuchennym segmencie.

W tym momencie pan Jasiński robi zdezorientowaną minę.

– Marcin mi mówił...

– Ach, tak – przerywam. – Nie chcę sprawiać kłopotu...

– Żaden kłopot. Nic pilnego do roboty jutro nie mam.

Dogadujemy się co do szczegółów, a potem zostaję z dzieciakami sam.

– Musimy przyjąć jakiś plan – sugeruję.

– Jaki plan? – dziwi się Kaśka.

– Co i jak chcemy zaprezentować – odpowiadam. – Czy robimy to na poważnie, czy na wesoło. Czy robimy scenki z życia szkoły, czy na przykład scenki rodzajowe z życia wsi. Jeśli szkolne, to czy dotyczące uczniów, czy nauczycieli, obsługi i tak dalej...

– No tak... – Julka popada w zadumę.

Następuje ogólne zamieszanie, bo każdy ma sto różnych pomysłów, ale żaden z nich nie uzyskuje aprobaty wszystkich.

– Pamiętajmy, że akademia ma się odbyć w świetlicy wiejskiej. Będzie mógł przyjść każdy i dla wszystkich to, co przedstawimy, musi być w miarę zrozumiałe.

– Nie możemy nikogo obrazić – zauważa Elka.

– Najlepiej więc śmiać się z samych siebie – mówi Wojtek, a ja, chytrze przemycając pewną polonistyczną treść, dodaję:

– Lub, jak mówił Krasicki... Kto pamięta?

– Żeby śmiać się z przywar nie z ludzi – po chwili milczenia przypomina sobie Kaśka.

Po burzliwej naradzie dochodzimy do pewnego konsensusu. Zrobimy coś w rodzaju wiadomości telewizyjnych przedstawiających w żartobliwy sposób życie szkoły i wsi. Rozchodzimy się (poza jednym wyjątkiem) z zadaniem domowym szukania pomysłów na wiadomości. Ja na swoją rolę pomysł już mam. Wiem też, kto te wiadomości poprowadzi. Najlepiej, żeby to byli Kaśka i Wojtek. Wiadomości, które mogą mieć też charakter scenek, powinny być przeplatane jakimiś zabawnymi reklamami. No, zobaczymy, z jakimi pomysłami przyjdą jutro do mnie dzieciaki. Spróbuję zasnąć. Jutro czeka mnie ciężki dzień.

Dzień wstaje. Ja też, dziękując Opatrzności, że koszmarna dla mnie noc dobiegła końca. Prawie nie spałem. Opierając się na kuli, krzątam się po mieszkaniu. Muszę przygotować miejsce na paczki z meblami. Przewiduję, że segment przyjedzie tak właśnie spakowany. Nie zdaję sobie sprawy, kiedy robi się południe. Ktoś puka do moich drzwi. Jestem prawie pewny, że to Jasiński przywiózł meble. To jednak nie on. W drzwiach stoją Kaśka i Elka.

– Co się stało? – pytam, bo trochę jeszcze za wcześnie, by skończyły lekcje.

– Przyniosłyśmy obiad – śmieją się dziewczyny. – Nie chcemy, żeby umarł nam pan z głodu.

– To miło z waszej strony, rzeczywiście ciężko byłoby mi iść na obiad do szkoły.

– Tak też pomyślałyśmy – odpowiada Kaśka. – Życzymy smacznego. Musimy wracać na lekcje.

Ledwie kończę obiad, przyjeżdżają meble. Jacyś nieznani mi mężczyźni pomagają Jasińskiemu wnieść paczki do domu.

– Później się je zmontuje i zawiesi – ojciec Marcina rzuca mi na odchodne.

Szczerze powiedziawszy, nie mam żadnej koncepcji rozmieszczenia mebli. Moja kuchnia jest niezbyt ustawna. Jest mi to zupełnie obojętne, byleby się dało przejść i szafki otworzyć. Co do jednego jestem absolutnie pewny: szafka pod zlewozmywak musi być pod zlewozmywakiem. No i nad nim szafka z suszarką.

O umówionej godzinie przychodzą dzieciaki. Skład osobowy grupy jednak mnie zaskakuje. Wraz z nimi przychodzi nieco starszy chłopak, lat koło dziewiętnastu.

– To mój brat – przedstawia go Kaśka.

– Jestem Piotr – przedstawia się on sam. – Kaśka mówiła mi o pana meblach. Jestem w szkole stolarskiej, trochę się na tym znam. Chętnie pomogę.

– Ale... – jestem absolutnie zaskoczony, dzieciaki nie dają mi jednak dojść do słowa.

– Wszyscy pomożemy...

– Mieliśmy zrobić próbę – oponuję.

– Zdążymy – zapewnia Wojtek. – Najpierw trzeba zrobić porządek z tym. – Chłopak wskazuje na górę paczek.

– Ma pan jakieś narzędzia? – pyta mnie Piotr.

– Nie, skądże – odpowiadam. – Tylko młotek.

– To ja skoczę do domu i zaraz wszystko przyniosę – oświadcza i natychmiast znika.

– Kiedy poskręcamy meble, przyjdzie tata, żeby je pomóc pozawieszać – informuje mnie Marcin.

– Kiedy wyście to wszystko zaplanowali? – naprawdę jestem zaskoczony.

– Nie docenia nas pan – śmieje się Kaśka.

– A pomysły na przedstawienie? – atakuję. – Na to pewnie zabrakło wam czasu.

– Wszystko gra, przekona się pan.

Po chwili zaczyna się to, co najbardziej „lubię". Piotr usiłuje panować nad wszystkim, ale zamieszania nie da się uniknąć. Każdy chce być pomocny, każdy chce coś robić, a przecież wszystkiego na raz robić się nie da. Piotr skręca ścianki dobiera odpowiednie wkręty, śruby, chłopaki trzymają płyty, dla dziewczyn roboty właściwie nie ma.

– No, dziewczyny, bierzemy się za porządki – proponuję.

Na podłodze zalega już sporo kartonów i niepotrzebnych listewek. Są też pasy plastykowej taśmy.

– Kartony i drewniane odpady trzeba wynieść na opał do komórki, taśmy na śmietnik.

– To by się też spaliło – stwierdza Wojtek.

– Zapewne – przyznaję. – Ale właśnie palenie takich rzeczy niszczy warstwę ozonową, chroniącą nas przed szkodliwym promieniowaniem słońca.

– Rozumiesz?! – dokucza mu Kaśka.

– Teraz rozumiem. – Wojtek robi minę odkrywcy.

Po kilku godzinach pracy wyganiam wszystkich do domu. Robi się późno. Jest już dwudziesta. Nieco pracy pozostało nam na jutro. Wszyscy są trochę zmęczeni, a przecież trzeba jeszcze odrobić lekcje. Piotr zapewnia, że przyjdzie także jutro. Kiedy wspominam o wynagrodzeniu jest oburzony.

– Może ja też będę kiedyś potrzebował pana pomocy – sprawę pozostawia otwartą.

Nie próbuję nawet sprzątać. Nie ma sensu. Dziś trzeba to wszystko jakoś znieść. Siadam do pisania, a następnie usiłuję zasnąć, ale myśli kłębią mi się w głowie, przeszkadzając na przemian z bólem spać. Myślę o swoich uczniach. Miałem szczęście, że trafiłem na tak wspaniałe dzieciaki. Swoją drogą, nieźle się ustawiłem. Siedzę sobie ze sztywną nogą, a koło mnie skacze prawie pół wsi. Ładnie, niczego sobie. Właśnie taki wizerunek własny chciałem wypracować. Koniec z tym – postanawiam. Za tydzień przerywam zwolnienie i wracam do roboty. Nie będę tak siedział w domu bezczynnie. Choćbym miał iść do szkoły pół godziny dłużej niż zwykle.

Na drugi dzień rzeczywiście pojawia się tata Marcina z wiertarką. Marcin oczywiście też mu towarzyszy. Wszystkie szafki są nie tylko poustawiane, ale też zawieszone. Dziewczyny myją je, układamy w nich parę drobiazgów, w posiadaniu których jestem, i wreszcie możemy skoncentrować się na przedstawieniu. Analizujemy pomysły. Dziennik telewizyjny układa się nam w szereg kolejno następujących po sobie zabawnych wiadomości. Na przykład:

– Niecodzienne zjawisko odnotowali wczoraj polscy ornitologowie. Otóż gołębie znanego w całej Polsce hodowcy z miejscowości Dębiny, Rafała K., jak jeden mąż odleciały do ciepłych krajów na zimę. Pogrążonego w smutku gołębiarza, który z rozpaczy przestał chodzić na lekcje, odwiedził nasz reporter.

Tu pojawia się reporter, a obok niego zapłakany Rafał K.

Reporter: Panie Rafale, no niech pan się uspokoi, one na pewno wiosną wrócą.

Rafał K.: A jeśli nie, co ja teraz bez nich zrobię. Nie mam dla kogo żyć.

Schodzą z planu.

Albo:

– Koło Gospodyń Wiejskich z miejscowości Dębiny podjęło inicjatywę, aby w związku z nagminnym porzucaniem przez młodych ludzi wsi za obowiązujący wszystkich jej mieszkańców przyjąć hymn zaczynający się od słów: „Nie rzucim ziemi...”.

Lub też:

– W związku z brakiem odpowiedniej obsady nauczycielskiej Ministerstwo Edukacji Narodowej postanowiło zamknąć Szkołę Podstawową we wsi Dębiny.

Przetarg na dowożenie uczniów do pobliskiego miasteczka wygrał Marcin J., będący w posiadaniu najnowocześniejszego pojazdu we wsi w postaci kobyły zaprzężonej w dwukółkę.

W końcówce wiadomości pojawi się sprostowanie.

Wiadomość z ostatniej chwili: jak donosi nasz reporter spod budynku Ministerstwa Edukacji Narodowej, Szkoła Podstawowa we wsi Dębiny nie zostanie zamknięta, ponieważ zgłosił się tam do pracy na ochotnika młody polonista prosto po studiach, który dodatkowo będzie prowadzić sztuki walki obronnej. Nasz reporter miał okazję porozmawiać z panem Markiem R.

Tu, niestety, ja wychodzę na scenę z nogą w gipsie, ale dodatkowo ucharakteryzowany jestem na trzęsącego się staruszka, który w niczym nie przypomina świeżo upieczonego absolwenta studiów magisterskich.

Reporter: To kiedy pan skończył studia?

Polonista: No jak to kiedy? W tym roku. Nie widać?

Reporter: A wie pan, że nie bardzo... A ile ma pan lat?

Polonista: Tyle ile trzeba. Pan nie wie, w jakim wieku kończy się studia?

Reporter: I ma pan zamiar podjąć pracę w Dębinach?

Polonista: Jaki zamiar? Ja już tam miesiąc pracuję. Ciężko pracuję, panie. Chyba widać?

Reporter: W zasadzie tak... Ale czy, na pewno jako nauczyciel?

Polonista: A co pan sobie myśli? Pan myśli, że praca wiejskiego nauczyciela nie wymaga ofiar?

Reporter: Ale aż takich?

Polonista: Że co, że mam złamaną nogę? To nie jest wina uczniów tylko pani Kopytkowej, kucharki, która rozlała na korytarzu rosół z makaronem... I ja się na tym makaronie poślizgnąłem... wielkie rzeczy...

Reporter: No a głowa?

Polonista: Głowa, głowa... Miałem dyżur przed szkołą, zamyśliłem się nad koncepcją lekcji o Mikołaju Reju, a woźna akurat podlewała pelargonie na oknie w klasie na pierwszym piętrze. Weszła do klasy Kaśka, zrobił się przeciąg, Woźna strąciła doniczkę... Nic takiego...

Reporter: No a ręka?

Polonista: No rękę to mi przytrzasnął drzwiami sam dyrektor. Nie byle kto, jak pan widzi... Nie zauważył, że chciałem z pokoju nauczycielskiego podać Julce klucz od klasy polonistycznej...

Itd.

Moi uczniowie mają z tego niezłą zabawę, ale już się boję pomyśleć, co się będzie działo w wiejskiej sali.

◇ ◇ ◇

Od poniedziałku wracam do szkoły. Rzeczywiście idzie mi się długo, ale uczniowie, których po drodze spotykam, wspierają mnie duchowo. Koleżanki w pokoju nauczycielskim patrzą na mnie z politowaniem. Bardziej chyba jednak ubolewają nad tym, że przerywam zwolnienie lekarskie, niż nad moją niesprawną nogą.

– Co się dziwić – stwierdza pani Mirka. – Pan Marek nie zdążył się jeszcze w życiu przepracować...

Nagle rozlega się pukanie i do pokoju nauczycielskiego zaglądają moje dwie wychowanki – Olka i Julka, koleżanki z ławki.

– Proszę pana, co zrobić? Kawę czy herbatę, bo nic pan dzisiaj nie powiedział.

Koleżanki otwierają ze zdziwienia usta, ja zaś robię się trochę zmieszany.

– Możecie mi zrobić kawę... – odpowiadam.

– No, no – odzywa się pani Tereska – to się nazywa wychowanie.

– Co w tym dziwnego? – pyta głośno koleżanka Kasia. – Pan Marek jako samotny kawaler wzbudza w dziewczynach potrzebę opiekuńczości – kończy sprawę żartem.

Czuję jednak, że w tym z pozoru niewinnym żarcie jest odrobina uszczypliwości, co wzbudza powszechny aplauz. A niech tam! Śmieję się i ja. Nie będę się tłumaczył, ale tak już od początku jest, co rano dziewczyny parzą mi w kuchni herbatę lub kawę, a potem pilnują, żebym na przykład nie wypił trzech kubków kawy dziennie albo żebym na przykład nie wsypał sobie do kubeczka trzech pełnych łyżek czarnej. Tego rodzaju próby kończą się zwykle uwagą Olki:

– Proszę pana, wypił pan już dzisiaj dwie kawy. To niezdrowo.

W takich razach muszę poprzestawać na herbacie.

Kontynuujemy przygotowania do przedstawienia na Dzień Nauczyciela. Weźmie w nim udział spora część mojej klasy, bo oprócz aktorów będą potrzebni też statyści. Ci, którzy nie wystąpią na scenie w żadnej roli, zaangażują się do przygotowania dekoracji. Oprócz dziennika telewizyjnego chcemy jeszcze przygotować zabawne inscenizacje kilku fraszek Kochanowskiego. Z niepokojem stwierdzam nieobecność w klasie Wojtka. Chłopak nie przychodzi także na próbę po lekcji ani na drugi dzień do szkoły. Zwracam się do uczniów z pytaniem, czy ktoś wie, co się z nim dzieje, ale nikt się nie zgłasza. Jednak po lekcjach podchodzi do mnie Kaśka z siódmej.

– Wie pan, co się stało? – pyta mnie z zatroskaną miną.

– Nie, nie bardzo – odpowiadam, zgodnie zresztą z prawdą.

– Chodzi o Wojtka.

– Co się więc stało?

– Wojtek nie będzie już chodził do naszej szkoły...

– Jak to? – jestem całkowicie zaskoczony. – Z jakiego powodu?

– Musi wrócić do domu dziecka...

– Jakiego domu dziecka? Przecież on mieszka u rodziców – niewiele z tego rozumiem.

– To dłuższa historia... – wzdycha Kaśka.

– Wejdźmy na chwilę do klasy i porozmawiajmy – proponuję.

Po chwili Kaśka przekazuje mi kilka bardzo ważnych informacji.

– Rodzice Wojtka mają ograniczone prawa rodzicielskie. On kilka lat spędził już w domu dziecka, a ostatnio znowu był u rodziców.

– W czym tkwi problem?

– Wszystkiego nie wiem, poza tym tylko, że Wojtek miał też kuratora, a ostatnio wplątał się w sprawy jakiegoś młodzieżowego gangu okradającego samochody... Chyba była jakaś sprawa w sądzie dla nieletnich.

– Dobrze, że mi to mówisz, może coś da się z tym jeszcze zrobić. Nie sądzę, by Wojtek chciał wracać do domu dziecka.

– Nie chce – Kaśka mówi to z naciskiem. – Wiem to na pewno, ale o takich rzeczach decydują dorośli. Tak jest zawsze.

Robi mi się przykro. I mam do tego co najmniej dwa powody. Po pierwsze, że przecież ja też jestem „dorosły", po drugie, że popełniłem błąd jako wychowawca klasy, nie robiąc wystarczająco dobrze tak zwanego wywiadu środowiskowego wśród swoich uczniów. Wszystko, czego dowiedziałem się od Kaśki o Wojtku, dawno powinienem był wiedzieć. Nie pozostaje mi nic innego, jak natychmiast zorientować się w szczegółach sprawy i zacząć działać. Swoją drogą zadziwia mnie ta dziewczyna. Jak na swój wiek jest bardzo już dojrzała. Ta jasnowłosa, ładna nastolatka wychowuje się w jednej z najlepiej sytuowanych tutejszych rodzin. Jej matka pracuje w banku w pobliskim Kościelnie, ojciec zaś dojeżdża do pracy do Olsztyna. Jest opiekuńcza i wrażliwa, bez względu na to, czy podoba jej się Wojtek, czy nie. Po rozmowie z Kaśką postanawiam skontaktować się z dyrektorem. Zastaję go jeszcze w szkole i proszę o rozmowę u siebie w klasie, ponieważ nie dam rady wejść do niego na górę do gabinetu.

– Istotnie – potwierdza dyrektor. – Rodzice Wojtka mają ograniczone prawa rodzicielskie. Dotyczy to także jego rodzeństwa.

– Co jest tego przyczyną? – Jeśli mam mu pomóc, chcę to wszystko wiedzieć.

– Przyczyna jest bardzo pospolita tu u nas. Zapewne już to pan zaobserwował – sugeruje mi zwierzchnik. – Co jest naszą powszednią zmorą? – pyta.

– Domyślam się, że ma pan na myśli alkohol... – zgaduję.

– Tak jest i w tym wypadku.

– Co mi pan radzi? Czy powinienem angażować się w sprawy Wojtka?

– To nie jest zły chłopak. Brak mu tylko właściwej opieki. Jeśli pan chce, skontaktuję pana z jego kuratorką. Warto pewnie byłoby też porozmawiać z jego rodzicami. Najgorszy okres, z tego, co mi wiadomo, mają już za sobą.

Proszę o ten kontakt, dyrektor obiecuje mi, że podjedzie ze mną do domu Wojtka, ja zaś muszę za wszelką cenę przeprowadzić na osobności rozmowę z chłopakiem. Z pewnością jeśli są szanse zatrzymania go u nas, nie mogę w żadnym razie dać mu do zrozumienia, że wiem, jak mu na tym zależy. Przeciwnie – muszę go przekonać, że bez niego przedstawienie nie może się obejść, że jest nam potrzebny i chcemy, żeby został pomóc nam je pomyślnie sfinalizować.

Cholerna noga. Tak utrudnia mi w tej chwili wszystkie działania. Ciężko nawet wsiąść do samochodu. Może gdyby to nie był maluch, byłoby łatwiej. W końcu jednak docieramy do gospodarstwa rodziny Wojtka. Dwoje nie tyle starszych, ile zniszczonych „życiem" ludzi zastajemy przy domu. Wojtka niestety już nie. Przedstawiamy się sobie. Po krótkiej wymianie zdań i niezbędnych informacji, zadaję najistotniejsze dla mnie pytanie. Wiele zależy od tego, jaką usłyszę odpowiedź.

– Więc chcielibyście państwo, żeby Wojtek pozostał w domu?

– A pewnie – stwierdza matka. – Zawsze to trochę nam tutaj pomagał. – A to go zabierają i zabierają.

– I krzywdy tu ni ma – dodaje ojciec. – Swój kąt ma, na głowę mu nie leci, a zimą w piecu se może napalić.

Dobre i to, myślę sobie. Może nawet lepsze, od wszystkiego, co najlepsze w państwowym domu dziecka, choćby tam karmili ambrozją i nektarem. Wiem coś o tym, bo matka mojego kolegi pracowała tam jako pedagog. Między innymi słyszałem o przypadku dwóch braci, którzy pochodzili z beznadziejnej wprost rodziny, ale mając do wyboru pozostanie na wakacje w domu państwowym bądź wyjazd z wyprowiantowaniem oraz kieszonkowym do domu rodzinnego, wybrali to drugie. Ponieważ jednak w mieszkaniu zastali to, co zastali, po kilku dniach wrócili do domu dziecka, ale nie mając odwagi pokazać się wychowawcom, ukrywali się w ogrodzie. Tu wypatrzyły chłopców dopiero kucharki, które zgłodniałych nakarmiły i przekazały wychowawcom. Pewnie, że przychodzi mi na myśl wypadek skrajny. Jestem jednak przekonany, że Wojtek też woli być w domu.

Pierwszy kontakt, na razie telefoniczny, z kuratorką Wojtka jest pozytywny. Otwiera mi drogę do rozmów z chłopcem. Muszę mieć przecież pewność, że jeśli mu coś obiecam, nie będą to gruszki na wierzbie. Muszę mieć pewność, że istnieje szansa, jeśli tylko się na to zgodzi, zabrania Wojtka z powrotem do domu i do szkoły. Po rozmowie telefonicznej z dyrektorem domu dziecka wybieram się tam w weekend. Na dworcu w Olsztynie odbierają mnie znajomi, u których się później zatrzymam. Najpierw jednak wiozą mnie do Wojtka za miasto, gdzie umiejscowiony jest sierociniec. Dom dziecka to stojący na niewielkim wzgórzu otynkowany budynek z czerwoną dachówką. Na podwórze wjeżdża się obsadzoną krzewami asfaltową aleją nieco pod górkę. Po lewej stronie budynku widać boisko, po prawej park, który stanowi starodrzew, co świadczy o tym, że drzewa posadzono tu co najmniej kilkadziesiąt lat temu. Ogólne wrażenie jest bardzo pozytywne, jest tu rzeczywiście pięknie, spokojnie i na pozór przytulnie.

Zaskoczenie chłopca jest ogromne. W tym momencie sam jednak nie wiem, czy jest ono większe od jego skrępowania. Staram się przejść do porządku dziennego nad jego położeniem. Jakby nie było tu o czym mówić, jakby ta sprawa była oczywista. Wcześniej czy później ten temat wróci.

– Skąd pan się tu wziął?

– Przyjechałem do ciebie.

– Dlaczego?

– Chcę cię namówić, żebyś wrócił...

– Ale... – Wojtkowi zdaje się, że ja chyba niczego nie rozumiem. I dobrze. Niech się mu właśnie tak wydaje.

– Nie poradzimy sobie bez ciebie. Wali się całe przedstawienie.

Wojtek przygląda mi się uważnie. Mam wrażenie, że bije się z myślami. Zastanawia się, co może, a czego nie powinien powiedzieć.

– Na przedstawienie... może pozwolą mi pojechać... – wypowiada nieśmiało myśl.

– To za mało. Musisz być jednym z nas – mówię z naciskiem. – Chyba że nie chcesz... – wystawiam go na próbę.

– Chcę! – Przez chwilę traci nad sobą kontrolę.

– No to się postaraj. To zależy najbardziej od ciebie.

– Chyba przecenia pan moje możliwości. Bez pomocy nie dam rady.

– Jeśli się postarasz, otrzymasz niezbędną pomoc. To co? – Chcę zakończyć rozmowę zawarciem układu. – Umowa stoi?

– Jasne. – Wojtkowi ciągle brak pewności siebie.

– Mam nadzieję, że spotkamy się w poniedziałek.

Kiedy chcę odejść, Wojtek zatrzymuje mnie jeszcze na chwilę.

– Proszę pana...

– Słucham cię...

– Chcę, żeby coś pan wiedział...

– Co to takiego?

– Jeśli chodzi o te samochody... – Głos mu się łamie – Niczego nie ukradłem ani nie miałem zamiaru ukraść... Oni mnie wrobili.

– Kto? – Nie bardzo wiem, o co chodzi.

– Chłopaki z miasta.

– Jeśli to dla ciebie ważne... ja ci wierzę. – Mówię tak, ale tak też i myślę. Dlaczego? Tego sam dobrze nie wiem. Coś każe mi wierzyć w tego chłopaka i jakaś siła zmusza mnie, żeby udzielić mu wszelkiej niezbędnej pomocy. Później okaże się, że tego nie pożałuję.

– Gdy zechcesz, porozmawiamy o tym kiedyś.

Wracając do znajomych, u których spędzę noc, czuję się przygnębiony. Zawsze tak działa na mnie widok dzieciaków pozbawionych rodzin. Przychodzą mi do głowy różne pomysły, choć oczywiście nie mogę zapomnieć o Wojtku. Ten żywy, wesoły i sympatyczny dwunastoletni szatyn nigdy w gruncie rzeczy nie pokazał po sobie, że może mieć jakieś problemy osobiste. Wyobrażam sobie, jak mocno musi być zamknięty w sobie, jak bardzo nie chce, by ktoś o jego przykrych sprawach wiedział i jak pięknie umie z tym wszystkim żyć. No, jeśli nie liczyć ostatniej wpadki, ale przecież nie wiem jeszcze, jak to naprawdę było. Wracając zaś do moich pomysłów, uświadamiam sobie, że ciągle słyszy się o różnych akcjach zbierania pieniędzy na rzecz dzieci z domów dziecka, akcjach zbierania prezentów z okazji świąt Bożego Narodzenia, ale czy w ten sposób, jak się o tym mówi, można tak naprawdę podarować serce? Pewnie można wywołać uśmiech na twarzach maluchów, ale to przecież radość krótkotrwała i na dobrą sprawę śmiech przez łzy. Zdarzyło mi się kiedyś uczestniczyć w pewnej uroczystości, jaka miała miejsce w domu dziecka. Kilkoro jego mieszkańców, w różnym zresztą wieku, szło do Pierwszej Komunii Świętej. Brakowało mi wtedy rąk, by prowadzić kilkoro dzieciaków do kościoła i chyba nigdy nie zapomnę, jak bardzo chciały być one trzymane za rękę. Jeden z pomysłów, do którego coraz bardziej się przywiązuję, zakłada nawiązanie przyjacielskich stosunków między moją szkołą a domem dziecka. Jeszcze nie wiem, jaką formę miałaby przybrać współpraca, ale to przecież przedyskutujemy z uczniami. Jeszcze nie wiem, czy ten pomysł w ogóle im się spodoba.

Moi znajomi nie mogą zrozumieć, co „strzeliło mi do głowy, żeby zaszyć się na wsi". Rozmową na ten temat męczą mnie cały wieczór. A ponieważ ludzie nie znoszą sytuacji niewyjaśnionych, moje zachowanie tłumaczą sobie na swój sposób. Wyjechałem więc powodowany depresją po zerwaniu z dziewczyną, z którą spędziłem kilka lat na studiach. Domyślam się, że podejrzewają nawet, że z lekka mi odbiło, można się jednak jeszcze ze mną zadawać, mój stan bowiem na razie nie zagraża otoczeniu. No dobrze. Pozwalam, żeby traktowali mnie jak niegroźnego wariata, ale z uwagą śledzę też losy moich przyjaciół ze studiów. Ktoś tam pozostał na uczelni, by robić karierę naukową, ktoś inny wyjechał za granicę, niektórzy znaleźli pracę poza zawodem nauczycielskim i odnaleźli się na przykład w polityce, większość jednak podjęła pracę w szkołach, najczęściej wracając w swoje rodzinne strony. Drugiego takiego chorobliwego wypadku jak mój nie ma. Żeby dobrowolnie przenieść się z miasta do wsi... Nie próbuję nawet mówić, że ta praca daje mi więcej satysfakcji, niż mogłem się początkowo spodziewać. Od znajomych wyjeżdżam zmęczony.

◇ ◇ ◇

Przygotowania przedstawienia na Dzień Nauczyciela ruszają pełną parą. Wojtek jest z nami. Pojawia się wśród nas i nikt nie kryje radości, ale też unikamy zbędnych słów. Radość najtrudniej ukryć Kaśce, ale wypowiada ją swoim wyrazem twarzy, blaskiem oczu. Im bliżej akademii, tym więcej przeszkód i tyleż więcej pesymizmu.

– Ja się nie nadaję – stwierdza Rafał.

– Przecież ja wyjdę na idiotę – wyraża obawy Marcin.

– A co powiecie o mnie? – pytam. – Na kogo ja wyjdę?

Innym znów razem chwile załamania przeżywają Kaśka i Wojtek.

– Nic z tego – Kaśka zdecydowanym ruchem odkłada mikrofon. – Ja sobie z tym nie poradzę.

– My sobie z tym nie poradzimy – dodaje Wojtek. – Niech poprowadzi to ktoś inny.

– Na kogoś innego nie mamy już czasu – przypominam im, że zostało nam już tylko kilka dni.

Przygotowane w przeddzień występów kotary z elementami dekoracji w nocy obrywają się. Musimy je od rana naprawiać. Dzieciaki są zdenerwowane i spięte. Daje znać o sobie trema. Uspokajam je, że ja również przeżywam, co zresztą jest zgodne z prawdą, a tremę przed każdym występem mają niemal wszyscy artyści. Nie można powiedzieć, że wiejska sala jest wypełniona po brzegi, ale na widowni jest tłumnie. Zresztą sama szkoła zajmuje znaczącą jej część. Jest jednak też wielu rodziców, zwłaszcza tych, których pociechy występują dziś na scenie. Początek uroczystości to wystąpienie dyrektora. Wita on gości, następnie ma krótkie przemówienie związane z dzisiejszym świętem. Niektórzy nauczyciele otrzymują pochwały i wyróżnienia, wreszcie występują goście. Obecny jest między innymi inspektor oświaty, który z kolei nagradza dyrektora. Gdy przychodzi czas na nas, dzieciaki są przerażone śmiertelnie. Martwię się o nich, bo przypomina mi się epizod z mojej własnej kariery artystycznej, kiedy to jako mały chłopiec uczyłem się grać na gitarze. Mieliśmy dać popis, czego się każdy nauczył po roku ćwiczeń. Kiedy przyszła moja kolej, wystąpiłem, owszem, ale odsiedziawszy na scenie przewidziany dla mnie czas, nie zdobyłem się, żeby choć jednym palcem szarpnąć strunę. W niczym, na szczęście, zgromadzonym na występach licznie rodzicom, to nie przeszkadzało, bo mnie także nagrodzili gromkimi brawami.

Idzie nam dość gładko. Zdarzają się tylko drobne potknięcia, które dodają tylko pikanterii całemu przedstawieniu. Na przykład będący w pewnym sensie także konferansjerem Wojtek używa skrótu myślowego i zamiast poprosić o zabranie głosu przez dyrektora mówi:

– A teraz proszę o zabranie dyrektora...

Z kolei w jednej z przeplatających telewizyjny program reklam, promującej cukierki Werters Original, aktorowi przytrafia się przejęzyczenie. Powinno być mniej więcej tak:

– Kiedy byłem małym chłopcem, mój dziadek dawał mi moje ulubione cukierki Werters Original. Dziś sam jestem dziadkiem, więc cóż mógłbym dać mojemu wnukowi, jeśli nie...

Było natomiast tak:

– Kiedy byłem małym dziadkiem...

I właściwie reklamy nie trzeba było już kończyć.

Oprócz programu telewizyjnego przedstawiamy jeszcze inscenizacje dwóch fraszek Kochanowskiego. Pierwszą z nich jest fraszka *Na lipę*. Niezwykle ważną rolę odgrywa tutaj recytator. Chcieliśmy, żeby to była dziewczyna, która ma mówić głosem lipy. Wybór padł na Julkę, która chce przecież zostać nauczycielką. Pełni ona jednak w pewnym sensie także rolę reżysera. Rzecz wygląda następująco. Kaśka woła:

– Lipa! Lipa! Na scenę.

Ale oprócz lipy wchodzą też inne drzewa, to znaczy ucharakteryzowani na drzewa uczniowie. Dąb, brzoza, wierzba płacząca, świerk, sosna.

Julka się denerwuje:

– No, gdzie mnie tu wszystkie włażą. Wynocha ze sceny. Tego jeszcze brakowało, jest tu potrzebna tylko lipa.

Próbuje wyganiać inne drzewa ze sceny i pokrzykuje:

– Cały las mi się tu zaraz zejdzie, tak? Jeszcze chwila i może grzybów się komuś zachce...

Tę aluzję widownia chwyta w lot, zwłaszcza że kilka grzybów usiłuje się wedrzeć na scenę i gromki śmiech zagłusza głosy aktorów. Na taką ewentualność jednak jesteśmy przygotowani, uczuliłem aktorów na to, by w razie potrzeby powtarzali kwestie.

Kiedy wreszcie na scenie pozostaje już tylko lipa, stół i ława, aktorka zaczyna recytować.

„Gościu, siądź pod mym liściem..."

Na scenę wchodzi gość ucharakteryzowany na Kochanowskiego.

„Nie dójdzie cię tu słońce, przyrzekam ja tobie".

Na scenę wchodzi słońce i usiłuje objąć gościa, ale otrzymuje razy gałęzią od lipy. Wystraszone w końcu ucieka.

„Tu słowicy, tu szpacy wdzięcznie narzekają..."

Na scenę wchodzą szpaki i słowiki i jęczą:

– Oj, ojjj, ojoj, ojej ojejej, olaboga...

W końcu aktorka ucisza ptaki:

– A cicho mi tam, ile to można, a sioo...

Ptaki uciekają, a Julka recytuje dalej:

„Z mego wonnego kwiatu pracowite pszczoły...".

Na scenie pojawiają się, głośno bzycząc, pszczoły.

„Biorą miód, który potym szlachci pańskie stoły".

Pszczoły ustawiają na stole kilka dzbanków z żółtym sokiem, a Kochanowski delektuje się nim niby miodem, robiąc przy tym odpowiednie miny.

Prezentacja powoli dobiega końca, Julka ma do powiedzenia jeszcze kilka zdań:

„A ja swym cichym szeptem sprawić umiem snadnie,
Że człowiekowi łacno słodki sen przypadnie".

Lipa w tym momencie szepcze Kochanowskiemu do ucha kołysankę: „aaa, kotki dwa" i po chwili pod lipą rozlega się chrapanie.

Później prezentujemy utrzymaną w podobnym stylu inscenizację fraszki *O doktorze Hiszpanie*. Tutaj recytatorem jest już Radek, także uczeń z mojej piątej. Radek to chyba najbardziej uzdolniony chłopak w piątej klasie. Gdyby chciał się uczyć tak, jak nie chce, mógłby mieć pewnie same piątki. Skoro jednak uczy się tak, jak się uczy, z większości przedmiotów ma trójki i tylko z nielicznych oceny dobre. Jego fenomen polega na tym, że równie łatwo radzi sobie z matematyką, co z językiem polskim, ja nigdy tej umiejętności nie posiadałem. Matematyka i fizyka były dla mnie zawsze czarną magią. Radek, dzięki mojemu entuzjazmowi, angażuje się humanistycznie, zaczął nawet pisać wiersze, co pewnie wcale nie przeszkodzi mu za kilka miesięcy wziąć udział w olimpiadzie matematycznej.

Na scenie tym razem znajduje się stół i dwie ławy, a na ławach przy stole siedzi czworo kompanów z kuflami. Wśród nich tytułowy bohater, doktor Rozjusz, który dla odróżnienia ubrany jest w biały fartuch. Kawałek dalej znajduje się łóżko i prowizoryczne drzwi.

Radek zaczyna tak:

„Nasz dobry doktor spać się od nas bierze,

Ani chce z nami doczekać wieczerze".

W tym momencie doktor wstaje od stołu i chce się żegnać, ale kompani gwałtem go zatrzymują.

Radek kontynuuje:

„Dajcie mu pokój! Najdziem go w pościeli,

A sami przedsię bywajmy weseli!".

Radek wskazuje na łóżko, a poza tekstem dodaje:

– No, zostawcie go już, ileż to można pić! – tu podnosi głos i pomaga doktorowi się oswobodzić, tarmosząc kompanów za uszy i bijąc po rękach. Zrezygnowani towarzysze siadają, mówiąc jeden przez drugiego: „a niech sobie idzie", „no pewnie", „co racja, to racja..."

Doktor odchodzi, udaje, że zamyka drzwi na klucz i kładzie się do łóżka. Zaczyna chrapać.

Tymczasem Radek kontynuuje recytację:

„Już po wieczerzy, pódźmy do Hiszpana!"

„Ba, wierę, pódźmy, ale nie bez dzbana".

Podnoszą się od stołu, biorą dziewięć plastikowych butelek od napojów i kierują się w stronę drzwi mieszkania doktora. Wszystkim plączą się nieco nogi.

Radek mówi dalej:

– „Puszczaj, doktorze, towarzyszu miły!"

Kompani pukają do drzwi kołatką, ruszają klamką, wołają: „Otwieraj!".

Radek mówi następne zdanie:

„Doktor nie puścił, ale drzwi puściły".

W tym momencie drzwi przewracają się z jednym z gości i wszyscy wchodzą do pokoju Hiszpana. Doktor jest przerażony, ale kompani witają się z nim niezwykle wylewnie.

Recytator:

„Jedna nie wadzi, daj ci Boże zdrowie!"

„By jeno jedna" – doktor na to powie.

Towarzysze biesiady opróżniają po kolei butelki i rozrzucają je po scenie.

Recytator:

„Od jednej przyszło, aż więc do dziewiąci,

A doktorowi mózg się we łbie mąci".

Doktor wstaje, przewraca okropnie oczami i kłania się widowni. Następnie mówi:

„Trudny".

W tym miejscu Radek jako narrator wypowiada słowo „powiada", a doktor kontynuuje:

„Mój rząd z tymi pany:
Szedłem spać trzeźwo, a wstanę pijany".

Kładzie się do łóżka. Kompani odchodzą i nagle na scenę wbiega aktor przebrany za koguta, przeraźliwie piejąc. Doktor zrywa się z łóżka, usiłuje stanąć na równych nogach, jednak chwieje się i pada obok.

Po zakończonym programie aktorzy gromadzą się wokół mnie.

– Jak wyszło? – dopytuje się Wojtek.

– Jak było? – przekrzykują się Kaśka z Julką.

– Byłem beznadziejny...? – z nadzieją, że mu zaprzeczę pyta Radek.

– Byliście super. Sprawiliście mi wielką przyjemność, zwłaszcza że widziałem, jak dawaliście z siebie wszystko.

A kiedy posłuchamy, co mówi na zakończenie inspektor, usłyszymy, że dawno czegoś takiego nie oglądał.

Jakiś czas jeszcze żyjemy przedstawieniem, ale, jak to zwykle w takich razach bywa, żyje nim cała szkolna społeczność, z uporem powtarzając przezwiska, które przylgną odtąd do większości występujących uczniów jak rzep do psiego ogona. Domyślam się, że mają coś także na mnie, ale dowiem się o tym zapewne ostatni.

◇ ◇ ◇

Na godzinie wychowawczej zastanawiamy się nad moim pomysłem nawiązania bliższej współpracy z domem dziecka. Padają różne pomysły, ale ponieważ moi uczniowie wierzą już w swoje aktorskie predyspozycje, zwycięża koncepcja przygotowania przedstawienia.

– Najlepiej, żeby to była jakaś bajka – uważa Julka.

– A czemu nie kabaret... – Radek nie chce się zgodzić.

– Bo przecież najbardziej chodzi nam o te małe dzieci, tak? – upiera się Julka.

– Pomyślmy nad tym przez tydzień – proponuję. – Czekam na gotowe pomysły.

Julka z Elką przez cały tydzień grzebią w bibliotece. W końcu z pomocą bibliotekarki wynajdują scenariusz Królewny Śnieżki. Kiedy przedstawiają tę propozycję klasie, spotykają się z ogólną dezaprobatą. Szczerze powiedziawszy, też jestem sceptyczny.

– Dziewczyny! – próbuję im tłumaczyć. – To jest rzeczywiście scenariusz na przedstawienie dla małych dzieci. Tyle że nie tylko do oglądania przez nie, ale także do grania owych ról.

Kiedy tak się przekomarzamy, nagle przychodzi mi do głowy świetna myśl. Nagle wyobrażam sobie chłopaków poprzebieranych za krasnoludki, w czerwonych czapeczkach, w krótkich spodenkach, z przydługimi rękami i chudymi, co przecież jest typowe w ich wieku, nogami i widzę ich, jak jeden po drugim mówią:

Pierwszy Krasnoludek:

Kto siedział na moim krzesełeczku?

Drugi Krasnoludek:

Kto jadł z mojego talerzyka?

Trzeci Krasnoludek:

Kto ułamał kawałek mojego chleba?

Czwarty Krasnoludek:

Kto zjadł moją jarzynkę?

Piąty Krasnoludek:

Kto używał mojego widelczyka?

Szósty Krasnoludek:

Kto kroił moim nożykiem?

Siódmy Krasnoludek:

Kto upił z mojego kubeczka?

Zaczynam dostrzegać dobre strony tego pomysłu i zgadzam się nieoczekiwanie, ku całkowitemu zaskoczeniu Julki. Ani ona, ani chłopcy, nie wiedzą jeszcze, jaki szatański plan zrodził się w mojej głowie. W każdym razie do grudnia mamy zajęcie. Trzeba nie tylko nauczyć się ról, ale także przygotować odpowiednie stroje. Oczywiście uzgadniam też wszystko z dyrektorem domu dziecka, żeby się później nie okazało, że tego naszego przedstawienia nikt oglądać nie chce. Okazuje się również, że inspektorat sfinansuje nam wynajem autokaru na przejazd tam i z powrotem.

◊ ◊ ◊

Od czasu, kiedy spadł pierwszy śnieg, moi uczniowie nie chcą rozmawiać o niczym innym, tylko o kuligu. Początkowo wyobrażam to sobie tak, jak widziałem w telewizji. Siedzę sobie niczym Kmicic z Oleńką w saniach zaprzężonych w dwa konie, a do sań podczepiony jest rząd sanek. Kiedy śniegu jest już odpowiednio dużo, niektórzy gospodarze przyjeżdżają takimi saniami do wsi, mam więc powody, by przypuszczać, że któryś z rodziców moich uczniów, dysponując podobnym powozem, zgodzi się zorganizować nam kulig. Rodzice bardzo szybko wyprowadzają mnie jednak z błędu. Dowiaduję się, że wbrew moim wyobrażeniom kulig konny jest bardziej niebezpieczny niż na przykład kulig z ciągnikiem.

– Widzi pan – tłumaczy mi ojciec Marcina – dzieciaki się wygłupiają, różne rzeczy mogą im przyjść do głowy. Jeśli spłoszą konia, wszystko się może zdarzyć. Lepiej nie myśleć, co by było gdyby taki koń poniósł...

Pewnie, że lepiej nie myśleć. Ja jednak myślę i moja wyobraźnia tworzy już tragiczne w skutkach wizje. Połamane sanki, dzieciaki rozrzucone wzdłuż przydrożnych rowów, połamane ręce i nogi. A później pół klasy w szpitalu i z gipsem, a ja... pewnie już za kratkami z powodu niezapewnienia młodzieży należytej opieki albo stworzenie sytuacji zagrażającej zdrowiu i życiu uczniów. Nigdy! Jak dobrze, że mnie ten człowiek przestrzegł. Jeśli się zgodzę jechać, to tylko ciągnikiem.

Zgadzam się. Klasa prawie w komplecie, bo kilka osób jest chorych. Wszyscy, prócz sanek, co najmniej sztuka na dwie osoby, wyposażeni są jeszcze w kiełbaskę na ognisko i pieczywo. Traktorzysta, starszy brat Olki, tłumaczy mi, że w trosce o bezpieczeństwo dzieciaków powinienem usiąść w pierwszych saniach zaraz za ciągnikiem. Kompletnie nie zdaję sobie sprawy z tego, co mnie czeka, ale już po kilkunastu metrach od wyjazdu ze wsi zaczynam przeklinać chwilę, w której zgodziłem się jechać z klasą na kulig. Śnieg spod kół wali prosto na mnie, najpierw przestają spełniać swoją rolę moje okulary, chwilę później i tak już nic nie widzę ani niczego nie słyszę. Traktorzysta z kolei zakręca i nawraca, a wszystko po to, by sprawić dzieciakom jak największą frajdę z powodu licznych wywrotek. Czuję, że jestem przemoknięty do suchej nitki, z zimna zaczynają mnie chwytać dreszcze, ze stanu wściekłości popadam w zobojętnienie. Kiedy wreszcie dojeżdżamy na miejsce, marzę o tym, by ktoś jak najszybciej rozpalił ognisko. Jak na złość mokre drewno nie chce od razu zapłonąć, na szczęście w rozpalenie ognia angażuje się Daniel, który sprawia wrażenie, jakby się przejął stanem mojego upadku, do którego w pewnym sensie on sam mnie doprowadził. Bratu Olki ostatecznie udaje się rozniecić ogień i już po chwili rozradowane dzieciaki pieką kiełbaski, tylko ja jestem jak nigdy dotąd milczący i całkiem nieskory do rozmów. Przeraża mnie myśl o powrocie. Obiecuję sobie, że jak szczęśliwie dotrę do domu, natychmiast wchodzę do łóżka i nie wyjdę z niego aż do jutra rana. Bylejakość mojego nastroju dość szybko dostrzegają Julka z Olką.

– Niech pan da, my panu upieczemy kiełbaskę.

Zrezygnowany poddaję się ich żądaniu. Apetytu jednak nie mam, co zresztą też jest u mnie nietypowe, w duchu zaś przyznaję, że najchętniej wypiłbym teraz herbatkę z rumem. Nigdy nie zapomnę smaku tej, którą piłem pierwszy raz w życiu. Byłem wtedy w szkole średniej i uczestniczyłem w wycieczce klasowej w Sudety. Było chłodno, jako że na wycieczkę wybraliśmy się jesienią, i po dotarciu wyciągiem na Śnieżkę uzyskaliśmy pozwolenie na zamówienie sobie herbaty z rumem. Trzeba stwierdzić, że rozgrzewała wspaniale.

Po powrocie do domu rzeczywiście ląduję w łóżku. Wieczorem okazuje się, że mam 38 stopni gorączki, a ponieważ jest piątek, weekend mam załatwiony. Nie mogę czytać ani pisać, bolą mnie włosy, gdy próbuję myśleć. I w takim to właśnie stanie przychodzi mi do głowy myśl, której konsekwencje będą dla mnie samego długo odczuwalne. Powinienem mieć psa! Mam po temu wszelkie warunki. Duże mieszkanie, ogrodzone podwórze.

Wiosną ów pomysł wdrażam w życie, a ponieważ postanawiam uszczęśliwić jakąś biedną, bezpańską psinę, biorę sobie ze schroniska dla psów skundlonego owczarka.

Szybko się okazuje, że pies jest bardziej miejski niż wiejski, o czym świadczą jego mieszczańskie maniery. Dzikus, bo tak go nazywam, nie ma żadnych oporów, by wskoczyć do samochodu, autobusu czy nawet pociągu. Po mieście w ogóle porusza się, jakby był u siebie w domu, a w domu pakuje się natychmiast na łóżko. W mieście jest dobrze wychowanym pieskiem, natomiast na wsi staje się nagle kimś innym. Po wpływem widoku gospodarskich zwierząt wstępuje w niego prawdziwie zły duch i gotów jest rzucić się na wszystko, co żyje, począwszy od kury, poprzez owcę, skończywszy na krowie czy koniu. Żadna siła nie jest go w stanie powstrzymać, żadne groźby i prośby, a uwiązany na smyczy bardziej skłonny jest się udusić, niźli odpuścić upatrzonej ofierze. Moje kłopoty z Dzikusem zaczynają się już w pierwszym tygodniu jego pobytu w Dębinach. Rozpoczyna je atak owczarka na kury sąsiadki. Ponieważ zwykle akcja wywołuje reakcję, następnie sąsiadka przypuszcza atak na mnie, a ja jestem bezbronny co najmniej tak, jak nioski owej pani. Ponieważ Jakubowska jest starszą już kobietą i żyje samotnie, nie mam nadziei w uczniach, którzy przez wzgląd na węzły rodzinne mogliby przyjść mi z odsieczą. Obrywam więc za psa ile wlezie i płacę za kurę nieboszczkę przedstawione mi odszkodowanie. Dowiaduję się przy tym, że właśnie po tej ptaszynie można się było spodziewać, iż w najbliższym czasie zniesie złote jajo, ile bym więc nie zapłacił i tak to wszystko jest mało.

Jakubowska odchodzi, problem pozostaje. Trzeba znaleźć i schwytać Dzikusa, nim wejdzie komuś innemu w szkodę. Czym prędzej idę więc, jak mówią, na wieś. Dość szybko dołącza do mnie grupka uczniów i już po chwili obława na Dzikusa prowadzona jest w całej wsi. Po godzinie poszukiwań psa odnajdujemy na pastwisku kilometr za wsią. Jest gorzej, niż mogłem przypuszczać. Po pastwisku za krową ugania się Dzikus, a za nim wyposażona w kij kobieta, w której dość rychło rozpoznajemy Rozwadowską. I tu nie obywa się bez strat. Kobieta miała już nadojone pół wiadra mleka, gdy nagle nadbiegł pies i spłoszył bydlę. Krowa kopnęła wiadro, po mleku została spieniona plama na trawie i rozpoczęła się gonitwa. Na moje szczęście kobieta okazuje się babką Rafała, więc kiedy dowiaduje się, że pies należy do mnie, uspokaja się. Obiecuję uregulować rachunki za mleko, bierzemy schwytanego Dzikusa na smycz i wreszcie wracamy do wsi. Pies zdaje się wcale nie dostrzegać, że jestem wściekły. Bynajmniej, sprawia wrażenie zadowolonego z pracowicie spędzonego dnia.

Po drodze mówię dzieciakom coś, czego później mocno pożałuję.

– Chyba nie dam rady z tym psem...

– Co chce pan zrobić? – pyta Wojtek.

– Nie pozostaje mi nic innego, jak oddać go z powrotem do schroniska – odpowiadam, nie zastanawiając się nad tym, co mówię do tego chłopca i nagle spostrzegam, że robię mu wielką przykrość.

– Może jest na to jakaś rada... – głośno myśli Kaśka.

– Tak. Popytam wśród znajomych z miasta, może ktoś zechce psa wziąć, zanim odwiozę go do schroniska – dodaję szybko, by zatrzeć złe wrażenie, jakie zrobiłem na Wojtku.

– Jednak przydałby się panu pies... – stwierdza Kaśka.

– Nie przeczę. Niemniej nie mogę dopuścić do tego, żeby z powodu psa pogniewała się na mnie cała wieś...

– Jasne! – stwierdza Elka.

– Powinienem wziąć sobie szczeniaka i właściwie go wychować – wypowiadam głośno zgubną myśl, którą dzieciaki chwytają w lot.

– Postaramy się panu o szczeniaka – zapewnia mnie Rafał.

– Chce pan? – dopytuje się Kaśka.

– Tak, tak – mówię na odczepnego. – Szczeniaka i kociaka, tylko może jeszcze nie teraz.

– No pewnie – znów mądrzy się Kaśka. – Na razie ma pan przecież Dzikusa.

O ile ja uznaję temat za zamknięty, o tyle dla moich ukochanych uczniów dopiero się on rozpocznie. Niebawem dowiem się o tym dokładnie.

Kolejny tydzień uświadamia mi, jak niedoskonałe ogrodzenie otacza mój ogród i dom. Dzikus wskazuje mi wciąż nowe dziury w płocie, a ja w pewnym momencie stwierdzam, że całymi dniami nie zajmuję się niczym innym tylko ich łataniem. Tu wiążę oczka siatki drutem, tam układam kamień, jeszcze gdzieś indziej wbijam kołek czy pręt. Wszystko to na nic. Dzikus zawsze potrafi znaleźć sobie jakieś wyjście, nakładam więc na niego w końcu areszt domowy. Z domu wyprowadzam go tylko na smyczy, a ponieważ jest to zwyczaj dość mało rozpowszechniony tu na wsi, wszyscy przyglądają mi się z zainteresowaniem i z pobłażliwym uśmiechem. Czuję się więc mniej więcej tak, jak zapewne dawno temu czuł się mój sąsiad z bloku, który ku zdumieniu wszystkich sąsiadów wyprowadzał przed blok na smyczy kota. Dzwonię też po znajomych, polecając wszystkim swojego wspaniałego psa, i zaczyna pojawiać się powoli, na razie malutkie, ale jaśniejące, światełko w tunelu. Znajomi wahają się, ponieważ jednak ich dziecko bardzo chce, myślę, że dobra nasza.

Zanim jednak wreszcie po niego przyjadą, zdąży zrobić jeszcze ze mnie niezłe widowisko. Któregoś pięknego, aczkolwiek chłodnego, poranka, kiedy krzątam się po domu w szlafroku, uświadamiam sobie nagle, że zostawiłem niedomknięte drzwi na podwórko. Ten podły pies dostrzega to natychmiast i czmycha, korzystając z mojej chwilowej nieuwagi. Naturalnie odruchowo wybiegam za nim, zapominając, w jakim jestem przyodziewku, wpadam w poślizg na pierwszej podwórzowej kałuży i leżę jak długi. Klienteli stojącej pod sklepem mój upadek wcale już nie był potrzebny do śmiechu. Wystarczyło bowiem, że ujrzeli mój strój. Domyślam się, że komentarzom na ten temat długo nie będzie końca i nic nie pomoże moje tłumaczenie, że chodzę po domu w szlafroku, ponieważ mam zimne mieszkanie.

W ciągu kilku ostatnich dni odkrywam prawdę, która pozwala mi spojrzeć na życie z innej perspektywy. Wystarczyło, żeby najpierw był Dzikus, a potem, żeby go nie było, bym poczuł się szczęśliwy. Żebym poczuł, jak kamień mi spada z serca, jak przychodzi ulga i uspokojenie. Ależ ten pies dał mi popalić... Przypuszczam, że czworonożnego przyjaciela odechce mi się mieć na długo, że z tego niezdrowego pożądania jestem zupełnie wyleczony. „Po co mi to było" – myślę, a kiedy tak myślę, ktoś nieśmiało puka do moich drzwi. To, co ukazuje się moim oczom po ich otwarciu, przyprawia mnie o zawrót głowy. W progu stoją dzieciaki z klasy czwartej, a jeden z chłopców trzyma na rękach szczeniaka.

– Co się stało? O co chodzi? – z wrażenia zapominam języka w gębie.

– Przynieśliśmy panu pieska – tłumaczy towarzysząca chłopcom dziewczynka. Nie znam nawet imion tych dzieciaków, bo z czwartą klasą nie pracuję.

– Jak to? Dlaczego? – nie od razu pojmuję, o co chodzi, ale już po chwili zaczynam wszystko rozumieć.

– Chłopaki z piątej mówiły, że chce pan małego pieska, to przynieśliśmy – wyjaśnia chłopiec. – Nasza suczka oszczeniła się ponad miesiąc temu i miała trzy szczeniaki...

– Mój Boże, ale to jakieś nieporozumienie, ja wcale nie potrzebuję pieska – usiłuję powiedzieć, ale na twarzach dzieciaków maluje się takie rozczarowanie, że natychmiast postanawiam zmienić decyzję.

– Więc weźmie go pan? – pytają niemal wszystkie jednocześnie.
– No, dobrze, ale ja nie mam pojęcia o pielęgnacji takiego malucha...
– My panu pomożemy się nim zajmować – oświadcza chłopiec z pieskiem na rękach.

Po kilkunastu minutach zostajemy ze szczeniakiem sam na sam, a że robi się późno, nie pozostaje mi nic innego, jak przygotować małemu jakieś legowisko, coś do jedzenia, na wypadek gdyby w nocy zrobił się głodny, i samemu zabrać się do roboty, czyli przygotować do jutrzejszych lekcji. Około trzeciej piesek mnie budzi, więc kładę go na fotelu, który przysuwam do swojego łóżka, aby w razie potrzeby móc kwilącego szczeniaka pogłaskać, o piątej nad ranem obmyślam plan zamordowania Wojtka, koło szóstej mam chęć ukatrupić też Kaśkę. W ciągu dnia uświadamiam sobie, że żadne morderstwo nic już tu nie pomoże. Nazajutrz otrzymuję jeszcze dwa pieski, kolejnego dnia następnego i kociaka. Przez tydzień zbiera mi się piętnaście psiaków i dziesięć kotów, a Kaśka z Wojtkiem, zamiast się uczyć, całymi dniami poszukują zwierzakom nowych właścicieli.

◇ ◇ ◇

W czasie ferii zimowych wybieram się do teatru. Wyjeżdżając na kilkanaście dni ze wsi, staram się nadrabiać różne zaległości powstałe u mnie z braku dostępu do różnorakich przybytków kultury. Wtedy też dokonuję niezwykłego odkrycia, że przecież moje wiejskie dzieciaki też powinny być czasem w kinie, choć parę razy być w teatrze czy jakimś muzeum. Kiedy po feriach rozmawiam o tym ze swoją klasą, dociera do mnie, że problem tkwi głównie w pieniądzach. Znacząca część uczniów nie mogłaby uczestniczyć w wyjeździe, a mnie byłoby przykro zabierać ze sobą tylko część klasy. Zastanawiamy się więc jak zdobyć pieniądze, by mogli pojechać wszyscy.

– Trzeba poszukać sponsorów – proponuje Marcin.
– Eee tam – Wojtek jest sceptyczny. – Chętnych na kasę jest wielu i nie ma żadnej pewności, że coś nam się uda uzbierać.
– A może znaleźć jakąś pracę? – rzuca hasło Julka.
– Ale gdzie? – głośno pyta jej koleżanka z ławki, Olka.
– Może zbierać makulaturę albo złom – wtrąca Radek.

Jednak zdecydowanie zwycięża pomysł, który zgłaszają członkowie koła biologicznego.

– Wyhodujemy sadzonki pomidorów i papryki – mówi Wojtek.
– Tak – potwierdza Rafał. – A potem je sprzedamy.

Ten plan wdrażamy w życie. Po pewnym czasie wszystkie parapety przy oknach w klasie są zastawione doniczkami oraz kubkami po śmietanach i kefirach. Nie spodziewamy się pochwały ze strony pani Kuchty i nic a nic się nie mylimy. Nikt i nic nie odbierze nam jednak satysfakcji, jaką odczuwamy w maju. Na sadzonkach zarabiamy więcej, niż przewidywaliśmy w najśmielszych oczekiwaniach. Czerwcowa wycieczka wyjdzie nam zatem z pewnością. Nabywcami sadzonek są głównie rodzice dzieciaków, którzy bardzo życzliwie podchodzą do naszego pomysłu i wolą dać zarobić nam, niż wydać pieniądze na rośliny w mieście. A nasze sadzonki wyglądają imponująco. Są żywo zielone, były odpowiednio podlewane i nawożone. Trudno odmówić też dziewczynom talentu do handlowania i targowania się. Julka, Olka i Kaśka wprost przechodzą same siebie.

Zanim pojedziemy na wycieczkę, czeka nas jednak jeszcze jedna zaplanowana i druga zupełnie nieplanowana przygoda. Obie związane są z pierwszym dniem wiosny albo, jak kto woli, z dniem wagarowicza. Jako wychowawcy staramy się tego dnia tak zorganizować zajęcia, by uniknąć sytuacji, że uczniowie uciekają z lekcji i pozostają bez opieki. Ja ze swoją szóstą planuję wyjście do lasu, ognisko, pieczenie kiełbasek. Wszyscy odpowiednio wyekwipowani spotykamy się więc koło dziewiątej i wyruszamy w plener. W pewnym momencie uzmysławiam sobie, że podąża za nami czterech uczniów z klasy ósmej. Z powodu choroby wychowawcy ósma miała pozostać pod opieką dyrektora. Zwracam więc chłopcom uwagę, że nie mogą iść z nami i muszą wrócić do szkoły. Mojej woli podporządkowują się niechętnie, a jak się później okazuje, tylko to udają, bo kryjąc się, nadal podążają za nami. Kiedy po przejściu około trzech kilometrów znajdujemy się na skraju lasu, chłopców dostrzega Julka.

– Proszę pana, oni tam są – woła dziewczyna.

Tym razem denerwuję się nie na żarty. Nakazuję chłopakom powrót do szkoły, zapowiadam też wyciągnięcie w związku z ich zachowaniem odpowiednich konsekwencji. I znów teoretycznie odchodzą. Tymczasem my bierzemy się za przygotowanie ogniska oraz kijów na kiełbaski. Ognisko sytuujemy na piaszczystym kawałku terenu, wyszukujemy kamienie i wytyczamy okrąg. Zbieramy suchy materiał na rozpalenie ognia. Po chwili ognisko już płonie, a wszyscy szykują się do pieczenia kiełbasek. Pogoda jest piękna. Grzeje słońce, ściółka jest sucha, siadamy więc, kto ma ochotę, na ziemi. Rozmawiamy o wycieczce do teatru, planujemy sobie, jak to będzie.

– Chciałbym, żebyśmy pojechali na *Zemstę* Fredry – zdradzam swoje zamysły.

– A jeśli nie będą grali? – wyraża wątpliwość Julka.

– Będziemy myśleli nad czymś innym – stwierdzam.

– Albo pojedziemy do kina – wtrąca Wojtek.

– Na to mogę się zgodzić tylko pod jednym warunkiem – uprzedzam.

– Jakim? – dopytuje się Wojtek.

– Że w kinie będzie ekranizacja jakiejś lektury...

– Przecież w kinie nie będą grać *Krzyżaków* czy *Potopu* – wyraża wątpliwość Marcin.

– To prawda, że większość naszych lektur została już wcześniej sfilmowana – przyznaję. Może jednak doczekamy dnia, że ktoś sfilmuje *Zemstę* czy *Pana Tadeusza.*

– Jak można z *Zemsty* zrobić film? – dziwi się Marta. – A z *Pana Tadeusza*?!

– Uwierzcie mi, że można – przekonuję. Z dużym powodzeniem nakręcono film na podstawie *Makbeta* Szekspira albo *Skąpca* Moliera. *Zemsta* ma wystarczająco barwną i żywą akcję, by nadawała się na film. A jeśli chodzi o *Pana Tadeusza,* to przecież choćby tylko historia Soplicy nadaje się na film. Zwróćcie uwagę na to, że sfilmowano *Odyseję,* a filmów o wojnie trojańskiej jest co najmniej kilka.

Rozmawiając, dopiekamy kiełbaskę, która po dość długim spacerze smakuje wyśmienicie. Na szczęście ktoś pomyślał, by wziąć musztardę, ktoś inny jeszcze zabrał ketchup. O ziemniakach pomyśleliśmy wspólnie, na koniec wrzucimy je do ogniska.

Sielankową atmosferę przerywa nam nagle głos Wojtka.

– Tam się coś pali!

Wszyscy spoglądamy na prawo w kierunku, który wskazuje nam Wojtek i rzeczywiście dostrzegamy kłęby dymu. Wraz z kilkoma chłopcami udajemy się w tamto miejsce. Widok, który ukazuje się moim oczom, jeży mi włosy na głowie. Na miejscu spotykamy bowiem znów uczniów z ósmej, którzy w osłupieniu patrzą, jak ogień z rozpalonego przez nich ogniska błyskawicznie rozpełza się po leśnej ściółce i zmierza ku pobliskim zaroślom, od których już tylko kilka kroków do najbliższych drzew i lasu. Oczyma wyobraźni widzę gigantyczny pożar, który w kilka godzin trawi ogromne obszary leśne. Wozy strażackie, które przyjeżdżają zbyt późno, by uchronić las przed pożarem, strażaków, których jest zbyt mało, by przeciwstawić się żywiołowi. Widzę wreszcie ogromne zamieszanie, do jakiego dojdzie po całym zdarzeniu: straż leśna, policja, prokuratura. Nikt mnie nie będzie pytał, kto odpowiadał za uczniów z ósmej, którzy przypałętali się do mojej piątej. A potem radio i telewizja i znów niesława na cały kraj, a już na pewno wśród znajomych, którzy przywykli już do tego, że raz na jakiś czas muszę popaść w kłopoty. Nie! – krzyczę w myślach. – Za nic! – rzucam się jak oszalały do walki z ogniem, a pod adresem chłopaków z ósmej padają słowa, których powtórzyć nie sposób. Ci jednak stoją jak sparaliżowani. Swoim uczniom z piątej każę wołać wszystkich. Polecam napełnić wszelkie reklamówki wodą z pobliskiego strumyka i lać na ogień, gasić ile sił w rękach i nogach. Sam już po chwili walczę gałęzią z ogniem, którego krwawe języki liżą krzaki wysokości sięgającej wzrostu mnie samego. Ogień jest uparty. Przygaszony na chwilę, wybucha z jeszcze większą siłą, stłumiony, podnosi się i rozwiera paszczę, niczym zgłodniały smok. Łzy ciekną mi po policzkach, dym szczypie w oczy i dławi gardło, czuję swąd spalonych rzęs i włosów. Nie wiem, jak długo trwa nasza walka z ogniem, rychło tracę rachubę czasu, kątem oka widzę jednak, że moje dzieciaki również uwijają się, jakby miały po dwie pary nóg. Później ustalamy, że gaszenie ognia trwało około godziny. Kiedy udaje się ugasić resztki ognia, wyczerpani padamy na ściółkę. Jesteśmy tak zmęczeni, że nie chce nam się nawet rozmawiać. Widzę, że nie tylko ja jestem osmalony. Chłopaków z ósmej odprawiam do szkoły. Zapowiadam im, że wystąpię z wnioskiem o obniżenie im oceny ze sprawowania, a nawet obiecuję im nagany. Jestem na nich po prostu wściekły. Natomiast ze swojej klasy jest niezwykle dumny. Muszę to powiedzieć. Czuję, że dzieciaki oczekują tego ode mnie.

– Dziękuję wam za to, co zrobiliście...

– Nic takiego nie zrobiliśmy – stwierdza Wojtek.

– A jednak ten las mógł spłonąć... – mówię i uświadamiam sobie, że zagrożone było również zdrowie i życie moich podopiecznych. W duchu dziękuję więc Bogu, że nic się nie stało.

Nikt nie miał głowy, by wrzucić ziemniaki do ogniska. Zresztą, kto miałby na nie teraz ochotę.

Szykujemy się do powrotu, ale ja z pewnością nie zajdę do szkoły na obiad. Wyglądam, jakby mnie kto wydobył z płonącego wieżowca, i dopiero teraz, po drodze, gdy powracają humory, uczniowie zaczynają dostrzegać mój stan i podśmiewać się.

– Nadaje się pan w całości do pralki – żartuje Wojtek.

– Wprawdzie nie wiem zbyt dobrze, jak wyglądam, przypuszczam jednak, że nie dużo gorzej niż ty – uśmiecham się i ja.

Powoli zaczynają się wszystkim rozwiązywać języki i wszyscy komentują całe zdarzenie.

– Ja wyrzuciłam kanapki z reklamówki i pędem po wodę... – mówi Julka.

– A ja biegnę z workiem wody – opowiada Rafał – i nagle zaczepiam nogą o korzeń i leżę jak długi. – Pokazuje wymownym gestem. – Prosto w ogień, ale woda wylała się przede mną. Zrobiłem dziurę na łokciu. – Unosi prawą rękę.

– Niedobrze. – Oglądam porwaną bluzę.

– Nic takiego – stwierdza Rafał. – To bluza stara jak świat.

– Mnie się przypaliły sznurówki – pokazuje Olka. – Deptałam ogień butami.

– A Marcin wylał swój napój – śmieje się Radek.

– Za to Radek chciał ogień zdmuchnąć jak świeczkę – odgryza się Marcin.

– Daliście z siebie wszystko – ucinam sprzeczkę. – Wspólnymi siłami udało nam się zapobiec nieszczęściu.

– Strach pomyśleć, co by było, gdyby się las zapalił – mówi Julka.

– Gdzie chodzilibyśmy na grzyby? – zadaje retoryczne pytanie Rafał.

– Las to nie tylko grzyby – tym razem przemawiam głosem nauczyciela biologii.

– No tak – zgadza się Olka. – Zbiera się jeszcze jagody, jeżyny, a nawet orzechy.

– A pomyśleliście, ile w tym lesie mieszka zwierząt, ptaków? – pytam i nie czekając na niczyją odpowiedź, dodaję: – Las to nie tylko swoisty świat, tak zwany ekosystem, to przecież także gospodarka. Spójrzcie tylko, czym ogrzewają domy wasi rodzice. Owszem kupują węgiel, ale drugie tyle, jeśli nie więcej, zużywają drewna.

– I jeszcze świąteczne choinki – wyrywa się Olka.

– Choinki najczęściej pochodzą ze specjalnych upraw, choć oczywiście nie tylko. Tak czy inaczej, żeby urósł taki las, trzeba wielu lat. Żeby spłonął, wystarczy natomiast kilka godzin. Nie sposób oszacować strat, jakie powstałyby w wyniku takiego pożaru.

Przez wieś przemykam niczym złodziej. Nie chcę, by ludzie widzieli mnie w tak opłakanym stanie. Jaki naprawdę jest mój stan, przekonuję się dopiero po obejrzeniu się w lustrze, gdy docieram do domu. Z wrażenia resztki włosów jeżą mi się na głowie. Natychmiast wchodzę pod prysznic i kiedy moja skóra odzyskuje naturalną barwę, z białego na czarny zmienia się kolor emaliowanej wanny. Cały czas się zastanawiam, jaką taktykę przyjąć wobec chłopaków z ósmej. Pewne jest jedno: wściekłość powoli mi przechodzi. Tym bardziej że trzech winowajców pojawia się u mnie jeszcze wieczorem. Są to Michał, Jurek i Andrzej.

– Chcemy porozmawiać – mówi Jurek.

– Porozmawiamy jutro w szkole – próbuję być stanowczy.

– Ale my chcemy jeszcze dzisiaj – upiera się Michał.

– Dlaczego miałbym posłuchać waszej prośby? Czy ja dziś o coś was nie prosiłem? I czy posłuchaliście mnie?

– No, nie... – przyznaje Jurek.

– Więc? Czego oczekujecie ode mnie?

– My chcemy tylko wytłumaczyć... – do rozmowy włącza się Andrzej.

– Co wytłumaczyć? Dlaczego podpaliliście las?

– Nie – tłumaczy Andrzej. – Dlaczego pana nie posłuchaliśmy...

– I nie zawróciliście do szkoły... Tak?

– Tak.

– Wobec tego słucham... – Decyduję, że w końcu muszę dać szansę im się wypowiedzieć.

– Nie chcieliśmy siedzieć w szkole – tłumaczy Andrzej.

– Najpierw mieliśmy wracać do domu – dopowiada Jurek.

– A później postanowiliśmy iść za wami – przyznaje się Michał.

Jest dla mnie sprawą oczywistą, że o całym zdarzeniu jeszcze dziś będzie we wsi głośno, więc coś trzeba postanowić. Na drugi dzień informuję o przebiegu wydarzeń dyrektora. Ten postanawia na długiej przerwie zwołać posiedzenie rady pedagogicznej. Miałem całą noc na przemyślenie sprawy i również w sobie odnajduję nieco winy. Ci uczniowie chcieli iść i być z nami. Nie przygarnąłem ich nie tylko dlatego, że nie mogłem, ale i nie chciałem. Nie chciałem dodatkowej odpowiedzialności, bo się jej bałem. Zapłaciłem za to wyższą cenę, niż musiałem. Wszyscy dostaliśmy nauczkę i chłopcy, i ja, i na dobrą sprawę także sam dyrektor, który odpowiedzialny był tego dnia za całą ósmą klasę. W czasie narady wycofuję się z najdalej idących wniosków, jakie miałem postawić. Nie chcę, żeby obniżona ocena ze sprawowania figurowała na ich świadectwach ukończenia szkoły podstawowej. Otrzymują więc wyrok niejako „w zawieszeniu". Muszą zachowywać się nienagannie do końca roku szkolnego. Wezwani przez dyrektora okazują skruchę i obiecują sprostać postawionym warunkom. Później okazuje się, że potrafią dotrzymać słowa.

◊ ◊ ◊

Do teatru w Olsztynie wybieramy się na początku czerwca. Wbrew naszym obawom *Zemsta* grana jest nadal. Seans rozpoczyna się o jedenastej, nasz pociąg przychodzi do Olsztyna o dziesiątej. Spektakl potrwa półtorej godziny, a ponieważ pociąg powrotny odchodzi około szesnastej, mamy trzy godziny czasu na spacer po Starym Mieście, dzieciaki natomiast okazję zjeść lody, zapiekanki, hamburgery i wszystkie inne rarytasy, które kochają nad życie. Pociąg nie jest na szczęście przepełniony i udaje nam się usiąść w jednym bezprzedziałowym wagonie. Jako drugi opiekun jedzie z nami mama Marcina, pod żadnym pozorem nie odważyłbym się wziąć na siebie odpowiedzialności za całą klasę. Natychmiast po zajęciu miejsc dzieciaki dobierają się do przygotowanego przez rodziców prowiantu na drogę.

– Zostawcie coś sobie na później – apeluję.

Skutkuje to tylko tym, że zaczynają mnie częstować, czym kto może i co ma. Najpierw idą w ruch słodycze. Cukierki, batoniki, wafelki, czekolady, no i oczywiście napoje.

– Żeby nikt się potem nie skarżył, że jest mu niedobrze – ostrzega pani Jasińska. – Czy wszyscy zjedli w domu normalne śniadanie?

Pytanie pozostaje bez odpowiedzi, bo jeśli nawet ktoś śniadania nie zjadł, to i tak się teraz nie przyzna. Gdy dojeżdżamy i organizujemy zbiórkę na peronie, stan uczniów nam się nie zgadza. Szybko orientujemy się, że brakuje Mirka, nikt jednak nie wie, gdzie mógł się podziać. Gorzej, nikt nie zwrócił uwagi, czy wysiadł z pociągu, którego skład odstawiony już został na bocznicę. Mirek zawsze był roztrzepany, przeważnie spóźniony i mało kiedy przytomny. Pozostawiam klasę pod opieką Jasińskiej, sam natomiast pędem udaję się do dyżurnego ruchu. Dyżurny za pomocą krótkofalówki porozumiewa się z obsługą pociągu, która bardzo szybko odnajduje naszą zgubę. Okazuje się, że zaginiony zatrzasnął się w toalecie. Z powodu Mirka jesteśmy trochę spóźnieni, ale i tak mamy dość czasu, by dojść pieszo z dworca do Teatru im. Stefana Jaracza. Nie chcę się pchać do autobusu komunikacji miejskiej. Te zawsze są zatłoczone i istnieje obawa, że dwudziestoosobowa grupka do żadnego mogłaby się nie zmieścić. Mirka polecam szczególnej trosce kolegów, żeby już gdzieś nam nie zabłądził, mam jednak wrażenie, że po ostatnich przeżyciach przynajmniej jakiś czas będzie się pilnował i trzymał grupy.

W teatrze raz jeszcze proszę uczniów, żeby nic nie jedli w trakcie przedstawienia, a z toalety korzystali przed przedstawieniem i w czasie przerwy. Stosują się do tego bez zastrzeżeń, czego nie można powiedzieć o uczniach, którzy przyjechali z innych szkół. Po spektaklu udajemy się na Stare Miasto. Rozpoczynamy od olsztyńskiego zamku, a w amfiteatrze robimy sobie krótki odpoczynek. Rozsiadamy się w ławkach i cieszymy piękną słoneczną pogodą. Opowiadam co nieco o Stefanie Jaraczu, którego popiersie uczniowie obejrzeli pod teatrem, a potem o zamku olsztyńskim i Koperniku.

– Wiecie, jaki ma związek Mikołaj Kopernik z zamkiem w Olsztynie?

– Mieszkał tu? – pytaniem na pytanie odpowiada Radek.

– Zapewne – zgadzam się. – Ważniejsze jest jednak to, że tego właśnie zamku bronił przed Krzyżakami.

– Nie zdobyli zamku? – ciekawi się Radek.

– Nie. Właśnie pod dowództwem Kopernika olsztyński zamek obronił się przed Krzyżakami.

– Jak to w końcu jest? – nie może zrozumieć Marcin. – Olsztyn był miastem polskim czy niemieckim?

– To zależy od okresu historycznego. Raz należał do Polski, innym razem był niemiecki, zwróćcie uwagę na to, ile czasu ziemie polskie były pod zaborami...

– A Kopernik... Czy on był naprawdę Polakiem? – dopytuje się Julka.

– Każdy jest tym, za kogo się uważa – odpowiadam. – Kopernik uważał się za Polaka, nie mamy więc żadnych powodów, by sprzeciwiać się jego woli. A wy, zastanawialiście się kiedyś, kim naprawdę jesteście? – daję im pod rozwagę trudne pytanie. – Czy czujecie się Polakami i czy jesteście z tego powodu dumni?

– Nie zastanawiałem się nad tym... – po dłuższej chwili milczenia stwierdza Wojtek.

– Szczerze mówiąc, ja też nie – przyznaje się Marcin.

– Znajdujemy się teraz w dość ciekawym momencie historycznym – kontynuuję myśl. – Upadł komunizm, gospodarka przekształca się, zakłady prywatyzują, mnóstwo z nich nie wytrzymuje zagranicznej konkurencji i pada. Zdajecie sobie sprawę, że nawet my wszyscy możemy mieć wpływ na procesy zachodzące w gospodarce?

– My? – Julka jest zdziwiona.

– Tak. I ja, i ty, i każdy z nas. Wystarczy, że kupując czekoladę, wybierzesz produkt polski, kupując każdy drobiazg, czy wreszcie dużą rzecz, jak pralka czy lodówka.

– Niby tak – przyznaje Wojtek.

– Święte słowa – wtrąca się do rozmowy pani Jasińska. – Spójrzcie tylko, jak trudno jest nam teraz sprzedać wiejskie jaja. A kto z was wie, dlaczego? – pyta, a kiedy nikt nie odpowiada, sama udziela odpowiedzi. – Bo z Holandii przywozi się tańsze. Cóż z tego, że są one gorszej jakości, że są na wpół sztuczne. Ludzie w miastach wolą kupić holenderskie, bo ich cena jest konkurencyjna. Tak jest z mlekiem, serem, masłem. Jeśli nie będziemy się troszczyć o siebie sami, to nikt inny się o nas nie zatroszczy.

– Na tym właśnie może polegać nasz mały, a jakże wielki patriotyzm – uzupełniam słowa Jasińskiej. – Wszystko jest ze sobą ściśle powiązane, kochani. Jest zbyt, jest produkcja, jest praca...

Teraz daję dzieciakom godzinę na spacer po Starówce. Umawiamy się za godzinę w tym samym miejscu. Wszyscy czekali na tę chwilę z niecierpliwością, więc rozpierzchają się w okamgnieniu, jak stado kurcząt w ucieczce przed jastrzębiem nagle spadającym na podwórko z nieba. Marcin wbrew pozorom wcale nie chce udać się na spacer z mamą, nie pozostaje mi nic innego, jak zaoferować kobiecie własne towarzystwo. Udajemy się do jakiegoś kawiarnianego ogródka na małą czarną, gdzie spędzamy czas na pogawędce, obserwując jednocześnie, jak przed nosami śmigają nam, to w tę, to w tamtą stronę, zaaferowani nasi podopieczni.

– Proszę powiedzieć, skąd w tak młodym człowieku tyle cierpliwości do dzieci? – zagaja rozmowę moja towarzyszka.

– Ma pani na myśli moją cierpliwość? – upewniam się, czy chodzi jej o mnie.

– Oczywiście. Jestem pełna podziwu dla pana pracy z tymi urwisami.

– Przecenia mnie pani – śmieję się. – Kłopoty, jakie sprawiają te dzieciaki, są niczym wobec doświadczeń, jakich zdążyłem już nabyć w swojej krótkiej pracy. Powiem pani, że jakiś czas pracowałem tutaj, w Olsztynie. Praca z dziećmi w większym mieście i praca z dziećmi wiejskimi to dwa zupełnie różne doświadczenia.

– Praca w mieście była trudniejsza?

– O, bardzo. Trudniejsze były i dzieci, i ich rodzice.

– Dlaczego?

– W dzieciach z miasta jest więcej agresji, nierzadko mają wygórowane ambicje i zbyt dobre mniemanie o sobie. Zresztą dużo częściej są to ambicje czy aspiracje rodziców.

– Nasze dzieci są inne?

– Z pewnością. Są bardziej nieśmiałe, na pewno grzeczniejsze, niestety częściej mają natomiast kłopoty z nauką.

– Ale dlaczego agresja?

– W klasach bywa sporo dzieci z tak zwanych środowisk patologicznych. Na porządku dziennym jest notoryczne wagarowanie, duży problem stanowi alkohol i papierosy. Miałem tu takiego ucznia, który siedział w ostatniej ławce, przedrzeźniał każde wypowiedziane przeze mnie zdanie. Wcale nie było mi łatwo dociec, którego z uczniów mam za to winić. Inny uczeń, a ciągle mówimy o szkole podstawowej, straszył koleżanki i kolegów, a nawet nauczycieli, żyletką. Z kolei na lekcji koleżanki uczeń, któremu ta nie pozwoliła wyjść do toalety, nasikał na ścianę w klasie.

– Przy wszystkich uczniach? – moja rozmówczyni wydaje się wzburzona.

– Tak, przy całej klasie i nauczycielce.

– Niewiarygodne.

– Miałem też zupełnie innego rodzaju kłopoty. Te dotyczyły z kolei dziewcząt. Kilka z nich przeprowadziło wręcz drobiazgowe śledztwo na temat mojego życia osobistego, interesowało je zwłaszcza to, czy jestem żonaty, następnie wyśledziły, gdzie mieszkam, i od tej pory codziennie miałem w skrzynce liściki miłosne.

– To rzeczywiście kłopotliwe.

– Sama pani widzi, że mam podstawy, by swoich obecnych uczniów uważać za anioły.

– Oni też przepadają za panem i martwią się, że jak wszyscy fajni nowi nauczyciele za rok, dwa ich pan porzuci i wyjedzie.

– Jak będzie, nie wiem nawet ja sam. Niewykluczone jednak, że z tą klasą dotrwam akurat do końca.

– Kto wie? – śmieje się pani Jasińska. I oby tak właśnie było.

Dopijamy kawę i ruszamy na zbiórkę, wychodząc z założenia, że lepiej dmuchać na zimne, czyli pozbierać wszystkie dzieciaki w porę, nim będzie za późno na pociąg. Mamy przy tym nadzieję, że tym razem Mirek się nam gdzieś nie zawieruszył. O godzinie 15.30 wszyscy są na szczęście w komplecie. Dzieciaki są pełne wrażeń.

– Proszę pana nie kupiłam czekolady Milka tylko Wedel – chwali się Olka.

– A ja poszedłem na lody do Zielonej Budki – informuje Rafał.

– Ja kupiłam Grześka!

– Ja Pawełka!

– I o to chodzi, moi drodzy – żartuję. – Nie damy się Snickersom i Lionom. Niech żyje Prince Polo i WW!

W pociągu głośny z początku gwar powoli przycicha. Dzieciaki są zmęczone, połowa ukołysana monotonnym stukotem kół usypia. Cieszę się, że wycieczka nam się udała. Kilka najbliższych lekcji poświęcimy pisaniu czegoś w rodzaju recenzji. Na początek będą to po prostu spontaniczne wrażenia. Potem zaczniemy nadawać temu konkretniejsze ramy i kształt sprawozdania z obejrzanej sztuki. Specjalnie kupiłem program teatralny, żebyśmy mieli wszystkie nazwiska aktorów występujących na scenie, reżysera i innych ważnych osób.

◇ ◇ ◇

Dzisiaj, kiedy dyżurnym jest Mirek, wypada jego kolej pisania na tablicy. Kiedy bierze w dłoń kredę, wszyscy przypominają sobie o jego leworęczności. Natychmiast zaczynają się uszczypliwe uwagi na ten temat, a znajdują tym większy poklask, że wszyscy mają świeżo w pamięci wczorajsze zaginięcie chłopca na wycieczce.

– Mirek! Weź kredę w prawą rękę, zasłaniasz wszystko, co piszesz – woła Wojtek.

– Zacznij pisać temat od końca – śmieje się Marcin.

– Od prawej strony! – dorzuca Radek.

– Spokojnie, dowcipnisie! – czuję się w obowiązku przyjść Mirkowi z pomocą. – Zdążycie przepisać. Nie pali się. I miejcie się na baczności, ponieważ jest dowiedzione naukowo, że ludzie leworęczni bardzo często są uzdolnieni i inteligentni.

– Mirek też? – złośliwie dopytuje się Olka.

– Nigdy nic nie wiadomo. Kto wie, na kogo wyrośnie. Miałem na studiach leworęcznego kolegę. Jeśli chcecie, opowiem wam o nim.

Gdzieżby tam nie chcieli. Zawsze interesuje ich to, co jest najmniej związane z tematem. Pozwolę sobie jednak na tę dygresję, bo może być ważna dla dobra sprawy.

Andrzej jest dziś także nauczycielem. Studenci uczący się na nauczycieli mają już po pierwszym roku praktyki w szkołach, a na przedmiocie metodyka nauczania języka polskiego prowadzą lekcje w normalnych szkołach w obecności wykładowcy i swojej grupy. Potem taka lekcja jest omawiana, analizuje się jej przebieg, dyskutując, co było dobrze, a co można by zrobić jeszcze lepiej. Jedną z takich lekcji przeprowadził właśnie Andrzej. To była lekcja z *Potopu* w liceum. Wypadła zupełnie dobrze, ale nasza pani metodyk zawsze miała jakieś zastrzeżenia. Nie darzyliśmy jej największą sympatią i nie czuliśmy się oceniani obiektywnie. Tym razem przy braku innych zarzutów pojawił się problem leworęczności.

– Nie powinien pan pisać lewą ręką – stwierdziła pani doktor. – To rozprasza uczniów, nie pozwala im się skoncentrować.

Zamarliśmy wszyscy wtedy, zastanawiając się, co też on na to odpowie, bo język miał cięty i nie potrafił być pokorny.

– Pani doktor! Kiedy już otrzymam pracę, mam nadzieję pracować w jednej szkole i nie prowadzić każdej lekcji z inną klasą – odpowiedział. – Jest więc nadzieja, że się uczniowie do tego przyzwyczają.

– Dobrze powiedział! – chwali Julka.
– No jasne! – potwierdza Wojtek.
– O wiele gorzej, jak się nauczyciel jąka – stwierdza Marcin.
– Albo sepleni – dopowiada Radek.
– No więc nie dokuczajcie Mirkowi... – podsumowuję.
– Przecież my tylko żartujemy – usprawiedliwia się Wojtek.
– Moi drodzy! – przerywam. – Bierzemy się za robotę. Coś przecież dzisiaj zaplanowaliśmy. Jeśli się uwiniecie i ładnie spiszecie swoje wrażenia z teatru, opowiem wam o moim profesorze, który się jąkał w przedziwny sposób i jakie były tego konsekwencje.

Wiem na pewno, że napiszą. Żeby usłyszeć obiecaną historię, napiszą pracę najszybciej, jak tylko będą potrafili. Świadom tego, od razu przestrzegam, żeby nie próbowali ograniczyć się do kilku zdań, bo uznam obietnicę za niebyłą. Pracują rzetelnie około dwudziestu minut. W trakcie pracy pojawiają się pytania dotyczące nazewnictwa związanego z teatrem i sztuką. Ważniejsze pojęcia zapisujemy na tablicy. Pod koniec lekcji opowiadam uczniom jedną z najzabawniejszych historii z czasów moich studiów.

Zajęcia z gramatyki historycznej mieliśmy z pewnym bardzo uczonym profesorem. Przyjeżdżał do nas na wykłady raz czy dwa razy w miesiącu, ćwiczenia natomiast mieliśmy z wykładowcą miejscowym. Wykłady były niezwykle interesujące, a profesor niewątpliwie miał ogromną wiedzę. Czerpalibyśmy z tej wiedzy jak z prawdziwej skarbnicy, gdyby nie jeden mały problem. Otóż pan profesor powtarzał końcówki wyrazów, najczęściej zdarzało się to co najmniej raz w zdaniu. Studenci starszych roczników opowiadali nam o tym, aleśmy za nic nie chcieli w to uwierzyć, nim sami się o tym nie przekonaliśmy. Wyglądało to, na przykład w ten sposób:

Podchodzi profesor i, wykładając jakąś ważną myśl, zwraca się bezpośrednio do mnie:

– Proszę pana... ana.... ana... ana... ana...

Patrzy przy tym prosto w oczy przerażonego studenta, który dławi się od wewnętrznego śmiechu, lecz boi się to okazać, bo doskonale wie, czym mogłoby mu to grozić.

– I to rzeczywiście... iście... iście... iście... Jest chyba najlepsza z możliwych metodologia... logia... logia... logia...

Żeby się nie śmiać, szczypaliśmy się i drapaliśmy, przygryzaliśmy języki i wyłamywaliśmy paznokcie. Kiedy zwiedzieli się o wszystkim studenci innych kierunków, schodzili się na wykłady naszego profesora, by osobiście się przekonać, czy to prawda, co mówią wszyscy o przypadłości znanego uczonego. I to było dla nas najgorsze. Spojrzenie jednego studenta na minę drugiego groziło prawdziwym wybuchem. Atmosfera była podminowana do granic możliwości, wystarczyło więc małe potknięcie, niewielka iskierka, by doprowadzić do eksplozji. Ci, co przyszli z ciekawości, już od pierwszych minut modlili się o przerwę, a kiedy profesor ją zarządził, dosłownie wybiegali z sali z grymasem bólu na twarzy i łzami w oczach, a potem ryczeli gdzieś w oddalonych od naszej auli korytarzach ze śmiechu, który o mało im wcześniej nie rozsadził wnętrzności. My, przyszli poloniści, musieliśmy po przerwie wracać. Profesor oczywiście doskonale zdawał sobie sprawę z tego, co przeżywamy. Ale obserwował nas tak uważnie, że student do studenta nie ośmielił się zrobić ani jednej miny, czy choćby się uśmiechnąć.

◇ ◇ ◇

Te niby-recenzje staną się zaczątkiem działalności dziennikarskiej niektórych uczniów. Na drugi dzień uważnie sprawdzam dokończone w zeszytach prace, a najlepsze z nich opublikujemy później w gazetce. Zeszyty to moje oczko w głowie. Jak sam starannie przygotowuję konspekty lekcji, tak wymagam od uczniów starannego prowadzenia zeszytów. Na każdym kroku podkreślam, że obecność na lekcji i konkretna z niej notatka to połowa uczniowskiego sukcesu. Moja konsekwencja sprawia, że niektórzy na półrocze przepisują zeszyt, chcąc poprawić sobie w ten sposób ocenę. Najlepiej i najładniej prowadzone zeszyty prezentowane są rodzicom na wywiadówkach. Niektórzy z uczniów popadają jednak w skrajność. Oto z przerażeniem stwierdzam, że są tacy, którzy wycinają zdjęcia z książek, by wkleić je do zeszytu. Maciek, który chce zaimponować przepisanym zeszytem, zaklina się na wszystkie świętości, że fotki wyciął ze zużytego podręcznika starszej siostry, ale na dowód swej niewinności nie potrafi pokazać własnej, niezniszczonej książki. Z kolei uzdolniona plastycznie Julita własnoręcznie ilustruje niemal wszystkie tematy, a jej ilustracją do *Atlantydy* Kuczyńskiego jestem po prostu zachwycony. Taki zeszyt chciałoby się zachować na pamiątkę. Obiecuję sobie, że w ostatniej klasie ją o to poproszę. Później dowiaduję się, że moi absolwenci są w swoich nowych klasach w szkołach średnich jednymi z nielicznych uczniów z nawykiem robienia w czasie lekcji samodzielnej notatki. Imponuje mi to, że nauczyciele z tych szkół pytają, skąd pochodzą moje dzieciaki. Czuję, że oni też są z siebie, a więc trochę i ze mnie, dumni.

Nie tak łatwo jest być optymistą bez przerwy. Chwile słabości ma chyba każdy, trudno żebym i ja ich nie miewał. Przychodzi moment, że chcę zrezygnować z mojej ambitnej pracy. W czasie wakacji obiecano mi zrobić centralne ogrzewanie. Wakacje dobiegły jednak końca i nic się nie wydarzyło. Owszem moje pionierskie mieszkanie wzbogaciło się o wykładziny, które chociaż używane, to jednak są bardzo przydatne, ponieważ w pokojach były gołe dechy. Inspektorat przerzucił je do mnie z jakieś likwidowanej szkółki. Niestety, sympatii mi to nie przysparza, a starsi nauczyciele komentują to w ten sposób, że chyba mam jakieś przywileje, bo choć pracują tu wiele lat, to tak się o nich nie dba. Podoba mi się reakcja inspektora, który stwierdza, że przecież wszyscy byli zgodni, iż trzeba poczynić starania o sprowadzenie na wieś młodych nauczycieli. Pod koniec sierpnia informuję dyrektora, że rezygnuję z pracy, nie mam bowiem zamiaru marznąć kolejną zimę. Reakcja dyrektora jest oczywista.

– Niech pan wykaże jeszcze nieco cierpliwości – namawia mnie. – W końcu przyślą panu ekipę.

– Nie chodzi tylko o to, aby zdążyli przed zimą – tłumaczę się.

– A o co jeszcze? – Dyrektor jest zaniepokojony, że chcę wyjechać z jakichś innych przyczyn.

– Chodzi mi także o to, że rozgrzebią mi cały dom akurat wtedy, kiedy muszę pracować i przygotowywać się do pracy.

– No tak – zgadza się dyrektor. – Na szczęście nie ma pan rodziny, małych dzieci.

– Czy to jest takie szczęście? – żartuję sobie.

– Naturalnie, że powiedziałem to nie w tym sensie... – Jeszcze dziś zadzwonię do inspektoratu i będę monitował w pana sprawie... – obiecuje dyrektor.

– Dziękuję.

– Postraszę, że chce pan odchodzić.

– Mnie jest trochę niezręcznie.

– Dlatego zrobię to ja. Bądźmy dobrej myśli.

Jakoż ekipa pojawia się dokładnie w pierwszych dniach września i jest tak, jak przewidywałem. Bałagan trwa cały miesiąc. Fachowcy raz przychodzą, innym razem nie. Najpierw codziennie po skończonej przez nich pracy usiłuję sprzątać, później już nie. Początkowo pytam, jak długo potrwa remont, potem już przestaję. Mam wrażenie, że panowie traktują moje mieszkanie jak swój warsztat pracy, bo złości ich, jeżeli ośmielę się coś przestawić. Właściwie czuję się, jak nie u siebie. Bywa na przykład tak:

– Panie, gdzie jest ten klucz francuski, który tu wczoraj leżał?

– A co to jest klucz francuski? – pytam.

– Takie narzędzie – wśród robotników wybucha śmiech.

– Jak to narzędzie wygląda?

– Po francusku – śmieją się dalej.

– Można jaśniej? – zaczynają mnie wkurzać.

– To pan magister nie wie? A taki uczony.

– Jak nie umiecie panowie wytłumaczyć, to szukajcie go sobie sami – odchodzę wściekły do ogrodu.

Nawiasem mówiąc, wiem, co to jest klucz francuski, ale zostawili wczoraj to zardzewiałe paskudztwo na kuchennym stole.

Bywa też inaczej:

– Budzę się rano do pracy i wokół lodówki zastaję kałużę wody. Czas przeznaczony na toaletę poranną, zresztą w spartańskich warunkach, muszę poświęcić na zbieranie wody. Kończę akurat wtedy, kiedy wchodzą wiecznie zadowoleni z siebie fachowcy. Nie jestem w przyjaznym nastroju.

– Panowie, wyłączyliście mi wczoraj lodówkę...

– Musieliśmy ją odsunąć – wszyscy są zdziwieni.

– W porządku, ale trzeba ją było z powrotem włączyć.

– A czy to nasza lodówka? – odpowiada ten, który jest zawsze najbardziej bezczelny i który wygląda na szefa. – Sam powinien ją pan sobie włączyć.

– Włączyłbym, gdybym wiedział, że jest wyłączona.

– Panowie, o co tu się sprzeczać – wtrąca się obrońca szefa.

– Ja się nie sprzeczam, chcę tylko zwrócić uwagę, że zamiast szykować się do pracy, muszę sprzątać.

– My właśnie nie chcemy pana zatrzymywać – dodaje bezczelnie szef.

Zmywam się jak niepyszny, ale rzeczywiście nie mam już na nic czasu.

◇ ◇ ◇

We wrześniu przychodzi do pracy nowy nauczyciel od zajęć praktyczno-technicznych. Także dostał służbowe mieszkanie i powoli się urządza. Jego żona ma za rok skończyć studia i będzie w naszej szkole uczyć rosyjskiego. Siłą rzeczy dość szybko znajdujemy wspólny język i nieco się zaprzyjaźniamy. Robert w jednej z pierwszych rozmów wyjaśnia mi, dlaczego znaleźli się właśnie tutaj.

– W czasie studiów braliśmy stypendium fundowane przez olsztyńskie kuratorium – wyjaśnia. – Musimy je teraz przez sześć lat odpracować.

– Kuratorium skierowało was właśnie tutaj?

– Nie, mieliśmy wybór.

– Ale tu zaproponowano nam pracę z ładnym mieszkaniem.

– Nie przeszkadza wam, że to wieś?

– W mieście musielibyśmy szukać stancji... Zupełnie nas na to nie stać.

– To oczywiste. Podobnie było ze mną, chociaż ja miałem ochotę trochę popracować na wsi.

– My też nie mamy nic przeciwko wsi, najważniejsze, żeby być razem, ale na to będę musiał jeszcze rok poczekać.

– Nie będzie tak źle. Będziecie spotykać się w weekendy, święta, ferie...

– A mój plan jest prosty – zwierzam się Robertowi. – Najpierw chciałbym popracować przez kilka lat w szkole podstawowej na wsi, potem w takiej samej w mieście i wreszcie przejść do szkoły średniej.

– Po co ci to – jest zdziwiony.

– Poznam dobrze cały program i wszystkie szczeble nauczania, myślę, że będę dzięki temu lepszy.

– Może i tak – zamyśla się Robert. – Myślę dziś, że my moglibyśmy tu zostać na zawsze. Wieś jest fajna, ludzie sympatyczni.

Kiedy tak idziemy, rojąc o przyszłości, pełni idealistycznych planów, dostrzegamy w pewnym momencie kilku przedstawicieli lokalnego folkloru w krzakach. Możemy się domyślać, co konsumują. Kiedy odchodzimy kawałek dalej, dobiega nas głos jednego z nich:

– P........e magistry! Nic nie robią, a tyle kasy biorą.

Te słowa na zawsze już pozostaną w mojej pamięci.

Z Robertem związany jest też pewien zabawny epizod. Początkowo nie miał u siebie telewizora. Przychodził więc do mnie co jakiś czas obejrzeć film. Kiedy przyszedł po raz pierwszy, wpakował mu się na kolana mój rozpuszczony kot. Robert zachował stoicki sposób, głaskał go, a ja pomyślałem sobie, że musi bardzo lubić zwierzęta. Gdy na drugi dzień spotkałem go w szkole, nie mogłem uwierzyć własnym oczom.

– Robert, co się stało? – pytam, widząc jego załzawione oczy i opuchniętą twarz.

– Nic takiego – odpowiada wymijająco.

– Chyba nie chcesz powiedzieć, że...

– Nie, oczywiście, że nic nie piłem...

– Więc co ci jest?

– Mam uczulenie na sierść zwierząt...

– Rany boskie, czemu nie przegoniłeś tego kota?

– Nie chciałem być niegrzeczny...

– Wobec kota?

– Wobec ciebie...

– Jak to? – nie mogę zgłębić jego rozumowania.

– Przecież kot był twój...

Długo będę mu z tego powodu dokuczać. Nie tylko zresztą ja, ale również inni znajomi, a także jego żona.

À propos tego podłego czarnego kota, który wielokrotnie lazł za mną rano do szkoły. Przez lata pracy na wsi drżałem, by komuś nie przyszło do głowy, by mnie przezwać Gargamel.

◇ ◇ ◇

Początek nowego roku szkolnego, oprócz remontu w moim mieszkaniu, przynosi jeszcze moje zaangażowanie z uczniami w zorganizowanie gazetki szkolnej. Gdzieś tam udaje mi się po znajomości pozyskać niepotrzebny już w jakiejś firmie powielacz. Maszyną do pisania dysponujemy w szkole. Chętnych do pracy w szkolnej redakcji jest wielu. Nie odmawiam nikomu, bo wiem, że jak zwykle do końca pozostaną ci najbardziej wytrwali i zainteresowani. Trzon grupy stanowią zawsze ci sami: Kaśka, Wojtek, Julka, Elka, Olka, Rafał, Marcin. Dyskutujemy, jak powinna wyglądać nasza gazetka. Jakie powinny znajdować się w niej działy. Pomysłów jest wiele i wciąż ich przybywa.

– Na pewno muszą być aktualności – stwierdza Kaśka.

– Rozrywka i humor też – dodaje Wojtek

– A dział literacki? – upomina się Julka.

– Z pewnością – tu wtrącam się ja.

– Na sport też jedna strona... – za sportem jest Rafał.

– A ja bym chciał kącik akwarysty... – to naturalnie Marcin.

– Poczekajcie – apeluję. – Na początek musimy ustalić kilka ważnych rzeczy?

– Jakich? – ciekawi się Elka, która do tej pory się nie odzywała.

– Po pierwsze, co to będzie za gazetka – wyjaśniam. – Na pewno nie damy rady jej robić co tydzień.

– No, nie – zgadzają się prawie wszyscy.

– Więc? – czekam na propozycje.

– Może raz na miesiąc – głośno myśli Wojtek.

– Mnie też się tak wydaje – wypowiadam własny sąd. Miesiąc to dobry okres, by zgromadzić odpowiednią ilość materiału.

– Jak zgromadzić? – dziwi się Rafał.

– Czy w sporcie szkolnym dzieje się co tydzień aż tak wiele, żeby zapisać całą stronę? – pytam.

– Właśnie – mówi Julka.

– A w szkolnej literaturze? – odgryza się Rafał. Ten zapalony gołębiarz zmienił się przez kilkanaście miesięcy nie do poznania. Nie tylko rozmawia już swobodnie, ale umie też bronić swoich racji. Ten drobnej budowy blondyn jest też zapalonym sportowcem, a jak się później okazuje, zorganizował sobie w domu małą siłownię i regularnie ćwiczy, bo trochę wstydzi się swojej postury.

– Jak ktoś napisze opowiadanie, to mogłoby zająć całą gazetkę – rzeczowo wyjaśnia Julka.

– I dlatego takie rzeczy będziemy dawać w odcinkach – przerywam.

– No, a po drugie? – dopytuje się Kaśka.

– Po drugie, musimy przynajmniej wstępnie określić jej objętość. Ile będzie miała stron, ile stron poświęcamy na jakiś dział, jaki będzie układ treści.

– To dużo pracy zauważa Wojtek.

– Ale bez tych wstępnych ustaleń pogubimy się.

– A co z ze stroną tytułową? – pyta Grzesiek z siódmej. Jest w naszym składzie nowy, ale interesuje go dziennikarstwo.

– I z tytułem – dodaję. – Przecież go dotąd nie mamy.

– Może „Ze szkolnej ławki" – proponuje Elka.

– Albo „Pod budą" – śmieje się Wojtek.

– Może – odpowiadam. – Ale wiecie, co o tym myślę?

– Nie – odpowiada mi jednomyślny chór.

– Myślę, że warto byłoby ogłosić ogólnoszkolny konkurs na tytuł gazetki i wybrać najlepszy...

– Super! – woła Marcin.

– Damy na to miesiąc – proponuje Kaśka.

– Ale musi być jakaś nagroda – postuluje Julka.

– W konkursie mogą wziąć też udział nauczyciele.

– Zgadzam się z wami wszystkimi – jestem zadowolony z zaangażowania uczniów. – Wszystkie wasze propozycje są dobre.

– Można powołać komisję do rozstrzygnięcia konkursu – podpowiada Grzesiek.

– Zgadzam się i z tym, chociaż równie dobrze może to rozstrzygnąć zespół redakcyjny.

– No właśnie, musimy stworzyć zespół redakcyjny – przypomina sobie Grzesiek.

– A kto jest w takim zespole? – pyta Elka.

– Kto ma przy sobie jakąś gazetę? – pytam.

– Ja mam „Przyrodę Polską" – zgłasza się uradowany Marcin.

– No to popatrzmy na tak zwaną stopkę redakcyjną – proponuję. – Kogo my tu mamy?

– Redaktor naczelny, zastępca redaktora naczelnego, sekretarz redakcji – czyta Marcin.

– W wielu pismach są jeszcze odpowiedzialni za poszczególne działy.

– To kto będzie naczelnym? – pyta Kaśka.

– Jak to kto? – dziwi się Marcin. – Oczywiście, że pan.

– Nie, nie – śmieję się. – Dla mnie zarezerwowana jest rola waszego opiekuna. Cały zespół redakcyjny stanowić musicie wy sami. A poza tym, chcecie zaczynać od końca?

– Jak to od końca? – dziwi się Marcin.

– Chodzi mi o to, że nie ma jeszcze gazetki, a wy już chcecie rozdzielać stanowiska.

– A co to szkodzi? – Kaśka popiera Marcina.

– Nic – stwierdzam. – Nic, poza tym drobiazgiem, że po przydzieleniu stanowisk wybrani będę ponosić właściwą sobie odpowiedzialność. Zgadzacie się? – pytam.

– Zgadzamy – znowu są zgodni.

– Więc dobrze – jestem rozbawiony tym, że zaczynają jak dorośli. – Po objęciu przez was swoich funkcji, ja staję się tylko doradcą. Kogo proponujecie na redaktora naczelnego? – pytam, a oni zaczynają rozglądać się po sobie.

– Może Wojtka... – Kaśka nieśmiało zgłasza kandydaturę kolegi.

– Albo Julkę... – kontrkandydaturę zgłasza Elka.

– A może Marcin – wtrąca Rafał.

– A co pan o tym sądzi? – pyta Wojtek.

– Fajnie, że pytasz mnie o zdanie. Rzeczywiście mam pewne sugestie – zapowiadam. – W roli redaktora naczelnego widziałbym Grześka.

– Grześka? – wszyscy są zdziwieni, a Grzesiek nieśmiało spuszcza głowę.

– Tak. Jest przedostatni rok w naszej szkole, ale najwięcej wie na temat dziennikarstwa. Jego zastępca wiele by się przy nim nauczył. I tym zastępcą mógłby być rzeczywiście Wojtek. Co o tym sądzicie?

– Ale ja... – Grzesiek chce coś powiedzieć, przerywa mu jednak Kaśka.

– Myślę, że tak będzie dobrze, co nie? – a wszyscy przytakują z aprobatą.

– Myślę, że głosowanie nie jest nam tu potrzebne – znów się wtrącam. – Warto by jednak zapytać chłopaków, czy oni się na to zgadzają.

Zgadzają się: i Grzesiek, który jest wyraźnie zadowolony, i Wojtek, któremu chyba kamień spadł z serca, bo bał się, że Kaśka stawia mu do wykonania zbyt trudne zadania.

– Dobrze panu idzie – żartuje Kaśka. – Może ma pan dalsze propozycje.

– Mam pewne przemyślenia – mówię z tajemniczą miną.

– Jakie, prosimy? – zwraca się do mnie Elka.

– Dobra. Widziałbym to tak. Sekretarzem redakcji i odpowiedzialną za dział literacki byłaby Julka. Za aktualności odpowiadałaby Kaśka, sport prowadziłby Rafał, humor i rozrywka spadłyby na barki Elki, której pomagałby Wojtek, a kącik hobbystyczny, nie tylko akwarystyczny, prowadziłby Marcin. Jak wam się podoba?

– Ale dla mnie zbyt dużo – oponuje Julka.

– Sekretarzem redakcji jest ktoś, kto czuwa nad jakością i doborem tekstów – wyjaśniam. – W tym ja bym ci pomagał. A do działu literackiego dobierzesz sobie współpracowników. To przydział wstępny, za miesiąc możemy coś zmienić, zgoda?

– Zgoda – odpowiada Julka.

– Natomiast Rafał może wziąć sobie do pomocy na przykład Tomka – kontynuuję. – Wszystko zależy od waszej inwencji.

– No to załatwiliśmy jedno i drugie – zauważa Grzesiek.

– Mniej więcej – zgadzam się. – Następnym naszym krokiem musi być zebranie materiałów i zaprojektowanie gazetki – wyjaśniam. – Pierwszy numer zrobimy więc bez tytułu.

Zaczynamy intensywną pracę. Zastanawiamy się, o czym w pierwszym numerze warto napisać. Naturalnie, że wtrącam swoje trzy grosze i wtrącać będę. Julce podpowiadam na przykład, że warto byłoby napisać o wiejskiej bibliotece, a może nawet zrobić wywiad z Hanką Wysocką. Upatruję w tym możliwość odegrania się na tej skądinąd powszechnie szanowanej kobiecie, za numer, który mi ongiś wycięła. A było to tak. Z okazji dni książki w maju znakomici pisarze i poeci rozjeżdżali się po polskich miastach i wsiach, nie pomijając także naszych Dębin. Tego roku, czyli pierwszego roku mojej pracy, miał nas zaszczycić swoją obecnością jeden z najbardziej wziętych olsztyńskich poetów Zenon Bojek. Przygotowania do tego święta trwały i w bibliotece, i w szkole. Objęły one także co bardziej światłych mieszkańców całej wsi. Kiedy wszystko było już dopięte na ostatni guzik i zgromadzeni w wiejskiej świetlicy uczniowie i ich rodzice w napięciu oczekiwali na duchową ucztę, która za sprawą naszego znakomitego gościa miała tu za chwilę nastąpić, wkroczyła zasłużona dla miejscowej kultury Hanka Wysocka. Jej obecność nikogo zdziwić nie mogła, była przecież ciągle szefową biblioteki wiejskiej. Nikt jednak nie mógł przewidzieć, jaką niezręczność wobec gościa za chwilę popełni. Poeta przybył, przywitał się i przemówił. Mówił wiele o sobie, o swoim pochodzeniu, wreszcie skonstatował, że jest jednych z najznamienitszych olsztyńskich poetów i właściwie nikt inny z jego rodziny tak daleko nie zaszedł. I kiedy tak czując się coraz lepiej, wszak wszyscy mieliśmy buzie otwarte z podziwu, wnosił się na wciąż wyższe poziomy natchnienia, brutalnie przerwała mu Hanka.

– A co pan właściwie napisał? My tu pana twórczości nie znamy, bo u nas w bibliotece nic nie ma.

Wyprowadzony z równowagi poeta nie od razu, acz po chwili, opanowawszy się na tyle, by po tak bolesnym policzku odzyskać tupet, jął wyliczać tytuł za tytułem swych w pocie czoła spłodzonych dzieł. Hanka była jednak bezlitosna.

– Bo my tu, proszę pana, mamy swojego poetę.

Tego już było za wiele. Zenon Bojek zaczerwienił się ze złości, a ja, domyślając się natychmiast, że Hance chodzi właśnie o mnie, schowałem się za Wojtka i Kaśkę.

– Tak? – pyta poeta. – A kto to jest?

– A jest tutaj – Hanka obstaje przy swoim. – O, tam siedzi ze swoimi uczniami, bo to, proszę pana, nauczyciel.

– Miło poznać – odzywa się poeta. – A co pan takiego napisał, jeśli można wiedzieć?

– Ja? – Nogi ugięły się pode mną. – Nie, nic, takich tam parę wierszy.

– Wydał tomik, proszę pana – mówi nieustraszona Hanka. – Ja mam i wielu tu ludzi we wsi też ma.

– Chętnie przeczytam. – Poeta na to. – Czy mógłby mi pan ofiarować?

– Oczywiście, ale nie dzisiaj – jąkam się. – Nie mam go tutaj w domu – kłamię, bo wiem, że sympatię u poety ciężko mi już będzie kiedykolwiek wzbudzić.

Poeta może nareszcie przejść do recytacji swoich utworów, ja natomiast obmyślam w duchu zemstę na Hance.

Wydaje się, że chwila ta nadeszła. W szkole wołam do siebie Grzegorza.

– Grzesiu! – mówię. – Zadzwonisz do biblioteki, przedstawisz się, powiesz, jaką gazetę reprezentujesz i że chcesz się umówić na zrobienie materiału.

– Jak ja mam to powiedzieć? – pyta zaskoczony Grzegorz.

– Normalnie – odpowiadam. – Powiesz całą prawdę: nazywam się Grzegorz Piechocki, jestem redaktorem naczelnym gazety szkolnej i chciałbym się umówić z panią na wywiad.

– Ona mnie przecież wyśmieje, zna moje nazwisko – Grzesiek dziwi się mojemu pomysłowi.

– Grzegorz, jak tu stoję, z wrażenia nazwiska nie usłyszy, a nazwy gazety nie zapamięta. Powiesz, że wyślesz w umówionym terminie dziennikarkę, wywiad rzeczywiście będzie, a przy okazji niezły kawał.

– Ale pan wymyślił... – śmieje się Grzegorz.

– Wymyśliłem to jako drobną zemstę za coś, co spotkało kiedyś mnie. – I opowiadam Grześkowi, o co chodzi.

Po lekcjach spotykam na ulicy Hankę Wysocką.

– Wie pan, panie Marku, przyjadą do nas z gazety... – zagaja rozmowę.

– Naprawdę? – udaję zdziwionego. – A z jakiej?

– A, nie pamiętam... Z jakiejś oświatowej.

– Do nas, to znaczy gdzie?

– Do biblioteki. Za tydzień.

– To gratuluję, pani Hanko. Na pewno będzie to świetny materiał.

◇ ◇ ◇

W tych miesiącach dowiaduję się, że mój zasiłek wiejski na zagospodarowanie nie tylko nie ulegnie znacznej podwyżce, ale podlega likwidacji. Wobec czego pieniędzy nie otrzymam wcale. Wszystkim jest głupio, wszyscy są zażenowani, jednak nie mam do nikogo pretensji, bądź co bądź chodzi o pieniądze, których w rzeczywistości nigdy nie widziałem na oczy. Pozostaje tylko dług wobec szkoły. Drobiazg. Postanawiam sprzedać pokojowy segment, który, nawiasem mówiąc, i tak mi się nie podobał, i będzie po sprawie. Dyrektor ma wielkie skrupuły, ale przekonuję go, że nic strasznego się nie dzieje. Jakoż ze sprzedażą owej meblościanki kłopotu żadnego nie mam, bo w sklepach w dalszym ciągu nie ma nic. Przy okazji znajdują się chętni na odkupienie także segmentu z kuchni oraz moich pluszowych zasłon, na to ja jednak zgodzić się nie zamierzam. Jeśli chodzi o umeblowanie pokoju, postanawiam przejść się po wsi i odkupić od gospodarzy kilka starych gratów, które jakoś sobie odnowię. W tej akcji naturalnie pomagają mi uczniowie, którzy doskonale wiedzą, gdzie kto ma jakąś starą niepotrzebną bieliźniarkę czy szafę. W ciągu kilku tygodni mój pokój jest znów umeblowany. Stoją w nim przedwojenne drewniane meble, którymi po ich gruntownym wyczyszczeniu jestem po prostu zachwycony. Pokój wygląda teraz zupełnie inaczej niż wtedy, gdy stał tu segment, mam wrażenie, że odzyskał swoją duszę, tak jak całe mieszkanie serce, kiedy po raz pierwszy napaliłem w piecu centralnego ogrzewania. Naturalnie nie obyło się bez złośliwych komentarzy. I tak, na przykład, kiedy któregoś popołudnia wraz grupą uczniów ciągniemy gdzieś od sąsiadów do mojego mieszkania nieco zdewastowaną bieliźniarkę, narażam się na komentarz naszej woźnej Kuchtowej:

– Panie Marku! – zagaja.

– Słucham panią? – odpowiadam grzecznie.

– Panu to już w ty chałupie chyba tylko stary baby brak... – śmieje się kobieta.

– Jest w tym dużo prawdy, pani Kuchtowa. – Nie zamierzam wiele sobie z tego robić.

Ten się jednak śmieje, kto się śmieje ostatni. W niedługim czasie okazuje się bowiem, że z biedy nabywam stare graty, które z czasem nabierają pewnej wartości. Te graty towarzyszą mi do dziś dnia i nie zamierzam się z nimi rozstawać. Najciekawsza jest historia pewnej szafy, o której istnieniu dowiedziałem się właśnie od dyrektora. Okazuje się, że daleko za wsią, gdzieś tam na kolonii mieszka weteran wojenny, niejaki Podlecki. Ów samotny człowiek żyje w fatalnych warunkach, a do ruiny doprowadził go niestety alkohol. Dyrektor oferuje się towarzyszyć mi w wyprawie po „złote runo", tym bowiem jest na ten moment dla mnie szafa, ponieważ tego mebla do tej pory nie posiadam. Przekonuje mnie, że człowiek chętnie mebel sprzeda, bo dom ma duży, jego połowa się wali, ma wobec tego także nadmiar gratów. Podpowiada mi również, że najprawdopodobniej należałoby wziąć ze dwie flaszki, bo wtedy rozmowa pójdzie gładko. Wybieramy się w piątek po lekcjach. Jak się okazuje, dzięki Bogu w piątek, bo wątpię, bym na drugi dzień nadawał się do pracy. Dyrektor nie był prorokiem. Po prostu znał obyczaje starego, dla którego wódka była odświętnym rarytasem. Tak jak wielu innych na co dzień kupował denaturat, jak to się w sklepie mawiało „do opalania kaczek". Rozmowna woda zrobiła swoje, a ja wysłuchałem bardzo ciekawej historii człowieka, który przeszedł w życiu swoje i dziś powinien być traktowany jak bohater. Nikt niestety nie uważa go dzisiaj za bohatera, a i on sam bohaterem się nie czuje, bo kiedy proponuję mu spotkanie z młodzieżą w szkole, stanowczo odmawia.

– Panie, wszyscy się będą ze mnie śmiali...

– Nie mogę się zgodzić – stwierdzam. – To, co pan mówi, jest o wiele ciekawsze od tego, co mamy napisane w podręcznikach.

– To nieważne, już dziś za późno na wszystko. – Mój rozmówca jest nieugięty.

Wypiliśmy niestety wszystko, a ponieważ nie było czym przekąsić, skutek musiał być oczywisty. Tego dnia nie udało się szafy przemieścić do mnie. Uczyniłem to na drugi dzień, zamawiając wozaka. Czyszczenie szafy zajmuje mi niemal pół dnia, ale w sumie odczuwam satysfakcję. Mebel staje się ozdobą pokoju, choć w moim mieszkaniu pojawia się specyficzny, rzec by można, muzealny zapach. Muszę często wietrzyć mieszkanie i pocieszam się, że kiedy będę regularnie palić w centralnym, dom się osuszy i meble przestaną wydzielać zapach pleśni. Żaden z nich nie stał od dawna w mieszkaniu. Były w piwnicach, na strychach, w stodołach. Niektórym brakuje nóżki, w innych jest filarek całkowicie przeżarty przez korniki, ale moi niezastąpieni uczniowie na wszystko mają sposób. Czyjś brat ma tokarkę do drewna, wystarczy dać stary element, a dorobią nowy. Napisałem „na wszystko" i to prawda. Przekonuję się o tym wielokrotnie i nie zawsze wychodzi mi to na dobre.

Kiedy rozmawiam z „siódmakami" na temat naprawy niektórych mebli, zauważamy, że pierwszy pokój jest prawie pusty.

– No i niech sobie jest – stwierdzam. – To będzie pokój gościnny, jak tylko uda mi się kupić wersalkę. Potrzebna jest tu tylko jeszcze jedna szafka i trochę ładnych brzozowych pieńków, jak stojaki do kwiatów.

– Brzozowych pieńków? – Grzegorz jest zdumiony. – W mieszkaniu?

– Tak, to bardzo ładnie wygląda. Tylko muszą być różnej wysokości – wyjaśniam. – Pogadam z leśnikiem i sobie to załatwię.

– My panu załatwimy – stwierdza Łukasz, kolega Grześka.

– Jak? – jestem zaciekawiony.

– To już nasza sprawa. – Łukasz puszcza oko do Grześka.

– Nic nie kombinujcie – proszę.

– Jasne – odpowiada Grzegorz.

Nawet nie wiem, ile mija czasu, bo zajęty porządkami domowymi nie zwracam na to uwagi, gdy stwierdzam nagle, że czterech „siódmaków" dźwiga po moim podwórku potężny pień brzozy. Ale nim zdążę oswoić wzrok z tym szokującym widokiem, na podwórko wtacza się następny pień, a pod nim następnych kilku chłopaków. Ładują mi się z tym wszystkim do pokoju i nim zdążę cokolwiek powiedzieć, Grzesiek pyta:

– Gdzie postawić?

– Skąd wyście to, do licha, wytrzasnęli? Chyba nikomu nie ukradliście? – Jestem pełen obaw.

– Nie, to niczyje – odpowiada Łukasz.

– Na tym świecie nic nie jest niczyje – zaczynam się denerwować. – Natychmiast powiedzcie mi, skąd żeście to przywlekli – rozkazuję.

Oni jednak ani myślą mnie słuchać. Zostawiają pieńki i tyle ich widzę. Pieńki są naprawdę ładne, chętnie bym takie kupił, ale teraz wyjdę na złodzieja. No to super. Jestem skończony w drugim roku tak pięknie zapowiadającej się kariery zawodowej. Ktoś zaraz zgłosi kradzież na policję. Cała wieś musiała widzieć, jak chłopaki to drewno dźwigają do mnie, wszyscy będą pewni, że kazałem im to zrobić. No to już po mnie. Myślę wyjść na wieś pod sklep, popytać ludzi, dowiedzieć się, czyje to, i zapłacić, zanim będzie zbyt późno. Nie zdążam. Przez okno widzę zbliżającego się do mojej posesji dyrektora. No pięknie, więc on już wie. Mam nadzieję, że uda mi się mu wszystko jakoś wytłumaczyć.

– Cześć – woła od progu (no tak, trochę zbliżyło nas do siebie wspólne zdobywanie szafy). – Idę zobaczyć, jak poustawiałeś te graty.

– Zapraszam. – Cóż mogę innego powiedzieć.

– O! – Dyrektor jest zdziwiony widokiem pni.

– No właśnie – mówię i zaczynam opowiadać mu wydarzenia, które się tu przed chwilą rozegrały.

– To z brzóz, które rosły obok szkolnego boiska – wyjaśnia mi dyrektor. – Trzeba było je wyciąć, bo mogły się wywrócić. Mieliśmy z nich zrobić ławki przy boisku.

– Każę im je odnieść jeszcze jutro – zapewniam.

– Spokojnie, tego jest bardzo dużo – śmieje się dyrektor. – Możesz je sobie zatrzymać.

Kamień spada mi z serca, ale z chłopakami postanawiam się jutro poważnie rozmówić.

– Grzegorz, co z tego, że chcieliście dobrze? – mam pretensje. – Tak naprawdę o mały włos narobilibyście mi kłopotów.

– Ale to przecież szkolne – chłopak, jakby nie wszystko rozumiał.

– Szkolne to w dalszy ciągu nie moje.

– No tak, ale przecież gdyby pan się wyprowadzał, to by je pan zostawił.

– Na razie jednak nie wyjeżdżam, chyba że będziecie robić mi więcej takich numerów, wtedy rzeczywiście będę musiał.

– Przepraszamy. – Coś chyba zaczyna do chłopaka docierać.

– Wiesz, co można było zrobić?

– Co? – Grzesiek podnosi wzrok.

– Powiedzieć mi o wszystkim, ja zapytałbym dyrektora, on pewnie by się zgodził, a wtedy rzeczywiście zrobilibyście coś fajnego, gdybyście mi to przynieśli.

– No, tak.

Robi mi się go szkoda, sam w dzieciństwie zrobiłem niejedno głupstwo, ale przecież rozmowę tę przeprowadzić muszę.

– To co? Nigdy więcej podobnych numerów.

– Jasne... – odpowiada Grzegorz z ulgą.

– No to umowa stoi.

◊ ◊ ◊

Ostatecznie decydujemy, że gazetka będzie miała format A5. Kartki będziemy zginać, ale dzięki temu nasze pisemko będzie wyglądało jak zeszyt. Zebranie zespołu redakcyjnego prowadzi Grzegorz. To on przedstawia projekt gazetki.

– Gazetka liczyłaby, przynajmniej na początek, osiem stron.

– Ta mało – dziwi się Elka. – To przecież tylko cztery kartki.

– To mało i dużo – odpowiada Grzegorz. – Najpierw spójrzmy, co mamy zrobić i jakim dysponujemy materiałem. Na stronie tytułowej ma się znaleźć zapowiedź tego, co zawiera gazetka, informacja o konkursie na jej tytuł i fragment wywiadu z dyrektorem.

– Kaśka, czy wywiad jest gotowy? – zwraca się do koleżanki.

– Gotowy – odpowiada dziewczyna.

– Zrobiłaś autoryzację?

– Co to takiego? – Kaśka robi duże oczy.

– No jak to? – teraz Grzesiek jest zdziwiony. – Czy po napisaniu wywiadu dałaś go do przeczytania dyrektorowi.

– Nie, przecież przeczyta w gazetce.

– Nie, no, proszę pana, ja tak nie mogę pracować. – Grzesiek zwraca się o pomoc do mnie.

Przysłuchuję się, jak ten już prawie piętnastolatek prowadzi zebranie, i jestem pełen podziwu. Jest pełen powagi, widać, że ma skłonności przywódcze i myślę, że kiedyś wysoko zajdzie. Tymczasem, aby obrócić wszystko w żart, zwracam się do naczelnego, używając jego przezwiska (uczniowie bardzo lubią, kiedy nauczyciel od czasu do czasu używa ich własnych ksywek).

– Czarny, ty się nie złość, tylko wytłumacz dziewczynie, o co chodzi, ona przecież ma prawo tego nie wiedzieć.

Na dźwięk słowa „czarny" wszyscy zebrani wybuchają śmiechem, a ja dodaję jeszcze:

– Spójrz, ile ja muszę mieć cierpliwości na lekcjach, żeby coś wam wytłumaczyć.

– No, dobrze – zgadza się Grzesiek. – Chodzi o to, że treść każdej rozmowy, która ma się ukazać w gazecie, musi być wcześniej uzgodniona z rozmówcą. Potem jest już za późno na naprawienie jakiegoś błędu.

– Grzesiek ma rację – dodaję. – W normalnych gazetach takie sprawy często kończą się nieporozumieniami, a nawet pozwami do sądu.

– Przejdźmy wobec tego do drugiej strony – proponuje Grzesiek. – Co będzie na stronie drugiej, poinformuje nas Kaśka.

– Zamieścimy tutaj wszelkie informacje o tym, co działo się w ostatnich dniach, a nawet tygodniach, i co będzie się działo w najbliższym czasie. Chodzi o informacje ze szkoły, wsi, a także terenu całej gminy. Muszę przyznać, że nie jest tego aż tak dużo, co znaczy, że wiele się u nas nie dzieje. Tu zabawa wiejska, tam dyskoteka, ale przecież nie możemy o takich rzeczach pisać bez końca.

– A przewidujesz napisać o tym, że naszą bibliotekę odwiedziła prasa? – śmieje się Grzegorz.

– Bardzo śmieszne – przedrzeźnia go Kaśka. – Tu naprawdę nie ma o czym pisać. Nie napiszę, jakie zawody sportowe będą się odbywać w najbliższym czasie, bo to będzie na stronach sportowych, nie napiszę, że przyjeżdża do nas filharmonia z Olsztyna, bo to będzie na stronach kulturalnych – trajkocze Kaśka.

– Spokojnie – przerywa jej Grzesiek. – To akurat możesz napisać, bo Julka będzie publikować próby literackie i nic więcej. – Wspólnymi siłami jakoś to zrobimy, a na twojej stronie umieścimy dalszy ciąg wywiadu z dyrektorem.

– No, no – śmieję się. – Jestem ciekaw, czy zapełnicie te osiem stron.

– Damy radę – zapewnia Wojtek. – Próby literackie pomijamy. Julka ma ich już tyle, że starczy na kilka numerów.

– Właśnie – mówi Grzesiek. – To powiedz nam, Wojtek, co planujesz na swojej stronie.

– Więc moja propozycja jest taka, żeby humoru i rozrywki były dwie strony...

– Aż dwie? – dziwi się Rafał, który się dotąd wcale nie odzywał, widocznie jednak poczuł zagrożenie dla swojego sportu.

– Sportu też byłyby dwie – uspokaja go Wojtek. – Byłyby to strony siódma i ósma. Natomiast czwarta i piąta przeznaczone by były na humor i rozrywkę.

– Dlaczego tak dużo? – pyta Kaśka.

– Jedną prawie całą stronę zajęłaby krzyżówka. Wyobraźcie sobie, że Marta (mówi tu o koleżance z siódmej klasy) sama układa krzyżówki. Przetestowałem to, rozwiązywałem i wszystko trzyma się kupy.

– No to fajnie – przyjmuje do wiadomości Kaśka.

– A przecież Marcin dobrze rysuje. Na pewno potrafi zrobić rysunek satyryczny albo jakąś karykaturę, na przykład pana – śmieje się.

– Wojtek! – robię groźną minę.

– Żartowałem, ale będziemy mieli do pana prośbę...

– Mianowicie...

– Bo czyta pan tyle naszych wypracowań i sprawdza pan zeszyty, więc może umieścilibyśmy też humor z zeszytów szkolnych...

– Istotnie – kiwam głową – tego materiału mi nie zabraknie. Zgadzam się.
– Z resztą sobie poradzimy – stwierdza Wojtek.
– No dobrze – tu zabiera głos znów Grzesiek. – Co u ciebie Marcin?
– Mam dość materiału – oświadcza chłopak. – Część przygotowałem o akwarystyce, a część Rafał o gołębiach. Już zbieramy materiał na kolejne numery.
– Ten hobbystyczny kącik będzie na stronie szóstej – stwierdza Grzegorz. – Co mamy na trzecią?
– Reportaż z biblioteki – odpowiada Julka. – Ma elementy wywiadu, zajmie całą stronę.
– I co pan na to? – Grzesiek dumnie spogląda na mnie.
– No co ja na to.... – przeciągam nieco słowa – jestem, jakby to powiedzieć... bardzo z was dumny. – Widzę, jak na ich buziach pojawia się uśmiech. – Oby tak dalej, kapitanie – wstaję i ściskam Grześkowi dłoń. To taki symboliczny gest, bo przecież na co dzień ręki uczniom nie podaję.

Jednak prawdziwa zabawa się dopiero rozpocznie, kiedy zaczniemy robić matryce i odbijać je na powielaczu. Całe szczęście, że mamy mnóstwo matryc, bo niemało ich na początek zepsujemy, sami brudząc się przy tym od rąk po uszy. Wspaniale wygląda też nauka pisania na maszynie. W szkole mamy aż jedną, ja mam jeszcze jedną prywatnie w domu. Obserwuję, że nauka pisania dużo lepiej idzie dziewczętom niż chłopakom. W każdym razie wszyscy są jednakowo przejęci i wszyscy żyjemy w trochę innym świecie niż reszta wsi, do której jednak od czasu do czasu zajrzeć muszę, a wtedy uświadamiam sobie różne rzeczy, na przykład to, że czasy są trudne.

Najsilniej życie tętni w miejscowym sklepie GS. Robię tu niezbędne zakupy, muszę więc czasem postać w kolejce, a wtedy posłucham sobie, a czasem nawet i pogadam. Dowiem się wiele o innych, ale bywa, że dowiem się też czegoś na swój temat, a to niezwykle cenne, ponieważ człowiek zwykle nie ma o sobie obiektywnego sądu, a już na pewno nie umie spojrzeć na siebie krytycznie. Któregoś razu, gdy czegoś mi w domu zabrakło, stanąłem kolejce. Pech mój polegał na tym, że akurat rzucili jakiś towar, na który to z kolei rzucił się naród, i tak się koło zamknęło. Stojąc tedy w połowie ogonka, dumam, czy się wycofać, czy może jednak dotrwać do końca, i oto dowiaduję się, jakie są moje rzeczywiste potrzeby.
– Pani! – krzyczy jakiś zbulwersowany klient stojący gdzieś za mną. – Dawać po pół kilo tych parówek, bo wszystkim nie starczy! Pan nauczyciel też musi coś jeść!

Innym razem dowiaduję się, jakie są priorytety w niektórych, na szczęście w niewielu rodzinach, a dzieje się to za sprawą dialogu między matką a dzieckiem.
– Mamo, kup mi lizaka.
– Nie mam pieniędzy.
– Mamo, kup mi lizaka...

– Nie mam pieniędzy! Dwa piwa poproszę...

Zastanawiam się, czy i to dziecko kiedyś do mnie nie trafi, myślę sobie jednak, że chyba nie zdąży.

Jeszcze innym razem dowiaduję się, że nawet ta mniej garnąca się do nauki młodzież, czyli kończąca edukację tuż po podstawówce lub zawodówce w pobliskim Kościelnie ma w sobie jednak silnie rozbudzoną ciekawość świata i potrafi dociekać prawdy o nim. Staję się bowiem świadkiem niezwykłej rozmowy. To właśnie ona sprawia, że tym razem nie spieszę się z wyjściem ze sklepu.

– Ty...

– Co?

– Ciekawe z czego oni to robią?

– Co?

– No ten miód...

– Aleś ty głupi...

– Co?

– No przecież miód robią pszczoły...

– Sztuczny?

– Jak to sztuczny?

– No, tam pisze... sztuczny...

– To są sztuczne pszczoły?

◇ ◇ ◇

Muszę się solidnie przygotować do zimy. Potrzebuję kupić trochę drewna i nieco węgla. Są we wsi dobrzy ludzie, którzy dysponując transportem konnym, załatwią jedno i drugie. Z moim sąsiadem Kołatką negocjujemy, jakie ma być drewno, dochodzimy do wniosku, że najlepiej liściaste, następnie uzgadniamy jego cenę, biorąc pod uwagę koszt przywozu i pocięcia. W kwestii cięcia pojawia się rozmiar kołków i uświadamiam sobie, że są jednostki miary, o których dotychczas nie miałem zielonego pojęcia. W związku z tym w tej właśnie sprawie dogadać się nie potrafimy.

– Wejdzie pan do mieszkania i obejrzy piec – proponuję.

Kołatka wchodzi, przygląda się, podnosi klapę pieca i tryumfalnie stwierdza:

– No, tak myślałem, trza ciąć na pół litra.

◇ ◇ ◇

Upływają miesiące. Powoli zżywam się z miejscową społecznością, mimo wszystko jestem tu przecież obcy. W długie zimowe wieczory bardzo dużo czytam i piszę. Chyba tak dużo jak nigdy przedtem, a może i potem. Trochę tęsknię za rodzinnymi stronami i piszę książkę o swoim dzieciństwie, opowiadając znajomym, że to będzie taki malutki *Pan Tadeusz*. Pracuję na pełnych obrotach, ale też praca daje mi wiele satysfakcji. W niektóre weekendy odwiedzają mnie znajomi, ale ponieważ moje miejsce traktują jak bezludną wyspę, a mnie samego jak Robinsona Crusoe, czasem nie wynika z tego nic dobrego. Któregoś razu przyjeżdżają na przykład mój sympatyczny, lecz wielce postrzelony kolega z żoną i synem. Kiedy ojciec z synem odkrywają u mnie w szopie dwa rowery marki Ukraina postanawiają pozwiedzać okolicę. Nie ma ich ze dwie godziny. Zapytani przeze mnie, co tak długo wyprawiali na wsi, oświadczają, że bratali się z ludem.

– O czym rozmawialiście? – pytam, bo zaczyna ogarniać mnie niepokój.

– O niczym – odpowiada kolega. – Ludzie pytali, do kogo przyjechaliśmy...

– Tak. I co? Wytłumaczyliście?

– Tak, mówiliśmy, że przyjechaliśmy do dyrektora szkoły.

– Po co tak mówiliście?

– Poczekaj... Ludzie pytają: do Bieniewicza?

– No i?

– A my na to: nie, do Radeckiego... Ludzie mówią: przecież dyrektorem jest Bieniewicz, a my na to: jak to? Radecki...

– A niech cię jasna cholera... Przecież cała wieś jutro będzie o tym wiedzieć, a zaraz potem mój dyrektor...

– Spoko, to tylko żarty...

Takie właśnie poczucie humoru ma mój kolega. Mnie i jego małżonce ręce opadają, „szeleszcząc".

Moje integrowanie się ze społecznością lokalną miewa także inny wymiar. Otóż kiedy indziej przyjeżdża do mnie na weekend grupa znajomych. Tym razem jest ich pięcioro. Traf chce, że z soboty na niedzielę w wiejskiej świetlicy odbywa się zabawa. Późnym wieczorem, kiedy jesteśmy już po obfitej kolacji, składającej się z pizzy i piwa, znajomi upierają się, aby się wybrać na zabawę. Ostatecznie ulegam, choć zastrzegam sobie, że ma to potrwać nie dłużej jak godzinę. Na sali, oczywiście, mnóstwo znajomych i tyle samo ludzi, których nie znam. Ponieważ jest to jedna z tych zabaw, które Komitet Rodzicielski organizuje, aby zebrane pieniądze przeznaczyć na potrzeby szkoły, moje przybycie przyjęte zostaje przez grupkę rodziców z entuzjazmem. Przedstawiam znajomych. Wszystkim jest bardzo miło, w końcu i oni, kupując bilety wstępu, dorzucili parę groszy na nasz wspólny szczytny cel. Moim znajomym najbardziej przypada do gustu wcale nie towarzystwo komitetu organizacyjnego, ale tych spośród rodziców, którzy się najlepiej bawią. Od słowa do słowa moi znajomi przechodzą z owymi rodzicami na ty, a wszyscy naturalnie oglądają się też na mnie. Za chwilę rozpoczną się zwyczajne, w tego rodzaju okolicznościach, gadki.

– A z nami to pan nie chce wypić...

– A nas to pan nie uważa...

I podpuszczanie ze strony moich złośliwie sympatycznych przyjaciół.

– No nie bądź taki ważny...

– Nie udawaj świętego... I tak dalej.

Ostatecznie co nieco ulegam, ale już następnego dnia zaczynam tego żałować, a moim znajomym prawię morały. Pretekstem do tego jest sytuacja, która ma miejsce z samego rana. Wszyscy jeszcze śpimy, ale ze względu na psa drzwi na podwórko są otwarte. Nagle budzi mnie czyjś wesoły głos, a kiedy unoszę głowę oczom moim ukazuje się zupełnie nieoczekiwany widok. Oto w fotelu przy ławie w moim własnym pokoju siedzi sobie Kowalowa, jedna z towarzyszek naszej wczorajszej zabawy. Przy niej reklamówka z piwem. Kiedy dostrzega, że się przebudziłem, stwierdza:

– Ja już krowy wydoiła, a wy k...a jeszcze śpita...

Robi mi się głupio, jednak nie dlatego, że dziś jeszcze nie doiłem krów. Ponieważ zdarza mi się być złośliwym, wstaję i, niewiele myśląc, budzę swoich serdecznych przyjaciół, a do tego, który był wczoraj najweselszy, mówię:

– Wstawaj, brachu, koleżanka przyszła w gości, przyniosła na śniadanko piwo!

Trzeba było widzieć minę bracha, kiedy się zorientował, że wcale nie żartuję...

◇ ◇ ◇

Pierwszy nakład naszej gazetki liczy pięćdziesiąt egzemplarzy. Kilka sztuk rozdajemy, ale część sprzedajemy za drobną opłatą, musi nam się przecież zwrócić przynajmniej za papier. Naszej gazetce daleko do profesjonalizmu, zwłaszcza nie ma szans na zdjęcia, jednak wygląda dość sympatycznie. Uczniowie są dumni, że ich pisemko pojawia się także w oficjalnej sprzedaży. Sprzedawane jest w bibliotece wiejskiej, zgodziła się też przyjąć ją pani do kiosku.

Niektórzy obdarowywani przez nas gazetką zachowują się bardzo honorowo.

– Proszę pana! – woła podekscytowana Kaśka. – Chciałam podarować egzemplarz dyrektorowi, ale on zapłacił i powiedział, że to ma być na rozwój naszej gazetki.

– Tak samo zrobił sołtys – mówi Julka.

– I ksiądz! – dodaje Wojtek.

– To bardzo ładnie z ich strony – stwierdzam. – Ale z waszej także, bo chcieliście zrobić prezenty.

Pojawienie się gazetki staje się w naszej szkole wydarzeniem. Możemy też obdarować pojawiających się w szkole gości czymś naprawdę własnym, na przykład kiedy jak co miesiąc przyjeżdża do nas olsztyńska filharmonia. To u nas w szkole prawdziwe święto. Przyjeżdża zwykle kilka osób, nie więcej niż dziesięć. Zapoznają uczniów z niektórymi instrumentami, prezentują fragmenty najważniejszych utworów muzyki poważnej. Są to prezentacje instrumentalne, ale bywają też wokalne. Pod wrażeniem są nie tylko uczniowie, lecz także my, nauczyciele. Cały miesiąc czekamy na przyjazd gości, a kiedy już przyjadą, naprawdę się wszyscy cieszymy. Podoba nam się bardzo pan, który pełni rolę kogoś w rodzaju konferansjera. Opowiada tak interesująco, że naprawdę chce się usłyszeć wykonanie tego, o czym przed chwilą mówił. Nikt nie pamięta, jak on się nazywa, wszyscy natomiast znają jego przezwisko: Puzon. Gdy dowiadujemy się, że tragicznie zginął w wypadku samochodowym, jesteśmy naprawdę wstrząśnięci. Nigdy później występy filharmoników w naszej szkole nie będą takie same.

O występach artystów pisze Julka. Ten materiał pojawia się w gazetce co miesiąc. Występy stają się też dobrą okazją do ćwiczenia sztuki dziennikarskiej, bo po pierwsze trzeba jak najwięcej zapisać, po drugie zaś, korzystając z obecności muzyków i śpiewaków, umieć przeprowadzić z nimi krótkie rozmowy. Robią to Julka i Grzesiek i muszę przyznać, że idzie im coraz lepiej.

◇ ◇ ◇

Z najgorszą klasą w szkole pracuję już drugi rok. Moi uczniowie nie są orłami w nauce, wszyscy jednak jakoś zdają i nie ubyło mi jeszcze ani jednego ucznia. Nie odnotowuję też poważniejszych problemów wychowawczych, natomiast wiedząc o swoich wychowankach coraz więcej, coraz lepiej ich rozumiem, a nawet podziwiam. Są to często nierzucające się w oczy, ciche i skromne dzieciaki, które niczym się nie wyróżniają. A jednak są to młodzi bohaterowie codziennego życia, przedwcześnie dorośli, którzy musieli przejąć brzemię odpowiedzialności za dom, gospodarstwo, nierzadko młodsze rodzeństwo. Takim chłopakiem okazuje się Mariusz, który jest zawsze nieprzygotowany do lekcji, który nigdy nic nie umie, który cudem zalicza semestr po semestrze, i wydawałoby się, że to, co się dzieje w szkole, jest mu zupełnie obojętne.

Mariusza i jego rodzeństwo „wychowuje" ojciec, matka bowiem dawno już odeszła. Ojciec zapewne jest dobrym człowiekiem, a byłby jeszcze lepszym, gdyby nie pił. Starsza siostra Mariusza poszła już na swoje, młodszy brat i siostra są oczywiście w domu. Nie zawsze, jednak nader często się zdarza, że poranne obrządki, a przecież zaczynają się one nawet po piątej, spadają na barki Mariusza, zwłaszcza dojenie krów i odstawienie mleka do zlewni. To z tego są comiesięczne pieniądze i stałe wpływy do gospodarskiego budżetu i Mariusz wie o tym doskonale. Kiedy klasa od kilku miesięcy prosi mnie, bym się zgodził na wyjazd na biwak, Mariusz nie znajdzie się w gronie zainteresowanych. Nie dlatego, że nie lubi koleżanek i kolegów, nie dlatego, że nie ma pieniędzy (jakoś by je wygospodarował) – na wyjazd nie pozwoli mu odpowiedzialność, stan psychicznego napięcia, które zupełnie nieznane jest wielu jego rówieśnikom, nie pozwoli mu troska o dom i rodzinę. Ten chłopak ma także czternaście lat.

Na biwak się w końcu godzę. Omówienie wszystkich spraw związanych z organizacją biwaku zabiera nam kilka godzin wychowawczych.

– Proszę pana, pojedźmy – namawia mnie Wojtek.

– Już wam tyle razy tłumaczyłem, że to dla mnie trudna decyzja.

– Nic się nie stanie – zapewnia mnie Julka.

– Nawet nie macie pojęcia, jak wielka to dla mnie odpowiedzialność.

– Będziemy grzeczni – uspokaja mnie Marcin.

– Już ja was znam – śmieję się. – Będziecie rozrabiać całe noce, a przez was i ja nie zmrużę oka.

– Jeśli obiecamy, że nie będziemy, to nie będziemy – stwierdza Rafał.

– I niby dokąd chcielibyście pojechać? – pytam.

– Nad Jezioro Leśne, dwadzieścia kilometrów stąd – tłumaczy mi po raz dziesiąty Wojtek. – Przecież pan tam był, pan wie, gdzie to...

– Wiem i dlatego nigdy tam z wami nie pojadę.

– Dlaczego? – tym razem pytanie zadaje chór.

– Bo tam nie ma pola namiotowego i jest niestrzeżone kąpielisko... Tyle razy wam tłumaczyłem.

– To nic, my tam przecież często jeździmy... – tłumaczy mi Marcin.

– Na odpowiedzialność rodziców. Ja jestem tylko waszym wychowawcą.

– Tylko? – dziwi się Wojtek.

– Tylko, Wojtek. Nie mogę być jednocześnie waszym opiekunem, ratownikiem, wreszcie ochroniarzem. Zrozumcie, nie rozerwę się.

– Ale pan się boi – podsumowuje mnie Marcin.

– Boję się i wcale się tego nie wstydzę. Boję się nie o siebie, ale o was.

– To gdzie moglibyśmy pojechać? – pyta zrezygnowany Wojtek.

– Myślałem nad tym...

– I co? – nadzieja wstępuje w Julkę.

– Jest rozwiązanie, na które mógłbym się zgodzić.

– Jakie? – znowu wszyscy na raz.

– Moja znajoma ma nad jeziorem w Olsztynie ośrodek campingowy...

– Ale my chcemy w namiotach – woła Rafał.

– Chwileczkę – uciszam klasę. – Kiedy z nią jakiś czas temu rozmawiałem, zgodziła się, abyśmy na jej terenie rozbili namioty.

– Hura! – Tym razem wrzask na całą szkołę.

– To jeszcze lepiej jak nad Leśnym! – woła Paweł, który siedzi w ławce z Wojtkiem.

– Ale będzie fajnie – krzyczy zza pleców Julki Aneta.

Komentarzom zapewne nie byłoby końca, jednak stanowczo je przerywam.

– Jest jedno małe „ale"... – ostrzegam.

– Co? – ponownie zasiewam ziarno niepokoju w klasie.

– Podróż na miejsce będzie nas kosztowała trochę więcej.

– No tak – zgadza się Julka. – Tyle, co do Olsztyna i z powrotem.

– Na biwaku będę spokojniejszy – tłumaczę. – Jesteśmy w lesie, jesteśmy nad jeziorem, ale jednocześnie mam dodatkową opiekę w razie czego, samochód, telefon i poczucie bezpieczeństwa.

– W razie czego? – dziwi się Wojtek.

– Na przykład w razie, gdybyś dostał zapalenia wyrostka robaczkowego, jasne?

Klasa wybucha śmiechem.

– No dobra – zgadza się zrezygnowany Wojtek.

Termin biwaku ustalamy na początek czerwca. Ku mojemu przerażeniu dzieciaki nie myślą już od kilku tygodni o niczym innym, tylko o biwaku. Jak się okazuje, będzie to ich pierwszy klasowy biwak. Postanawiam zrobić zebranie z rodzicami, aby kwestię uczestnictwa w wyjeździe szczegółowo omówić. Do zebrania dochodzi na początku maja. Drobiazgowo omawiam program wyjazdu. Pytam też, czy ktoś z rodziców nie zechciałby pojechać ze mną w charakterze opiekuna. Jak przewidywałem, nikt się nie zgłasza. Okazuje się, że pojedzie piętnastka uczniów. Zbieram oświadczenia rodziców o wyrażeniu zgody na wyjazd. Wreszcie odbywa się luźniejsza rozmowa.

– Uprzejmie państwa proszę, aby w związku z wyjazdem do Olsztyna, który będzie nieco kosztowniejszy, ograniczyć dzieciakom wydatki do minimum – zagajam. – Niech uczą się oszczędności.

– Odkładają na biwak – mówi mama Julki. – Moja Julka na pewno.

– Marcin powoli kupuje konserwy – śmieje się Jasińska.

– Jak powiedziałam Rafałowi, że go nie puszczę, to teraz tak pomaga na gospodarce jak nigdy – dodaje żartem matka Rafała.

– Cieszę się, że wybrał pan to miejsce w Olsztynie – stwierdza Jasińska. – Na pewno będą tam bezpieczniejsi.

– Przede wszystkim teren jest ogrodzony i dozorowany, a na kąpielisku jest ratownik – dopowiadam.

– To dobrze.

– To bardzo dobrze.

Obecni na zebraniu rodzice są zgodni.

– Sugeruję również, abyście nie godzili się państwo na jakieś pochopne i doraźne zakupy typu materac, śpiwór czy namiot... To wszystko można pożyczyć od kolegów, a kto wie, ile razy im się to jeszcze przyda...

– I słusznie – popiera mnie mama Anety.

– No chyba że ktoś już ma – dorzuca Jasińska.

– Jeżeli ktoś ma, to bardzo fajnie – potwierdzam. – Jeśli jest rodzeństwo, to oczywiście takie biwakowe wyposażenie może się przydać częściej.

– Żeby tylko pogoda była – martwi się matka Wojtka, która wyjątkowo przychodzi dziś na zebranie.

– Mam nadzieję, że będzie ładnie, bo niepogoda popsułaby nam całą zabawę. Chcę, żebyście jeszcze państwo wiedzieli, że w razie naprawdę złej pogody będziemy mogli skorzystać ze świetlicy, w której można będzie przenocować. Na koniec chcę poprosić o jeszcze jedno – dodaję. – Zbliża się koniec roku. Ten wyjazd to jest także dobra okazja, abyście państwo zagonili dzieciaków trochę więcej do nauki. Państwo już macie swoje własne sposoby, nie będę podpowiadał, jak to zrobić, ale z pewnością coś tutaj wymóc można...

– Bardzo słusznie – po raz pierwszy odzywa się ojciec Pawła, jedyny mężczyzna na zebraniu i właśnie z jego powodu do zebranych nie zwracam się „proszę pań".

Zebranie kończę informacją, że przygotuję do podpisania przez uczniów specjalne deklaracje, w których zobowiążą się przestrzegać określonych zasad. Tłumaczę, że będzie mi to pomocne w utrzymaniu należytej dyscypliny.

Taktycznie jestem również przygotowany na biwak. Mam wszystko, co trzeba: namiot, materac, koce i tak dalej. I chociaż nie mam się czym tutaj chwalić, to muszę się przyznać, że kiedy koleżanka proponuje mi zamieszkanie w domku, wokół którego dzieciaki rozbiją namioty, natychmiast korzystam z okazji. Nad jeziorem mamy spędzić kilka dni. Wyjeżdżamy pociągiem w czwartek rano, wracać mamy w niedzielę, zatem spędzimy tutaj trzy noce. Dla uczniów to mało, dla mnie aż nadto. Wśród dzieciaków od samego początku panuje podniecenie, z kolei moje zmysły są wyostrzone i jestem cały spięty. Było już mnóstwo wypadków podczas wycieczek szkolnych, były też utonięcia uczniów w jeziorach podczas szkolnych biwaków. Mam tego absolutną świadomość. Z drugiej jednak strony zdaję sobie sprawę, że coś robić trzeba. Nie można nie używać noża tylko dlatego, że można się nim skaleczyć, nie można nie przechodzić przez ulicę, nie można nie wsiadać do samochodu, trzeba tylko zachować maksimum ostrożności. I to sobie obiecuję. To obiecują mi również dzieciaki, co poświadczają własnoręcznymi podpisami. Zobowiązują się do bezwzględnego posłuszeństwa, dyscypliny, jeden z zapisów dotyczy także, bo dotyczyć musi, choć są to tylko czternastolatki, papierosów i alkoholu. Obowiązuje nas zasada: jeden za wszystkich, wszyscy za jednego. Zdają sobie sprawę z konsekwencji niewłaściwego postępowania. W każdej chwili zwijamy obóz i wracamy do domów. Mam świadomość, że taki wyjazd pozwoli mi o wiele lepiej poznać moich uczniów. Takiej możliwości na lekcjach po prostu nie ma. Dziś jednych znam lepiej, innych gorzej, ale moja wiedza w dalszym ciągu jest tylko powierzchowna. Także oni będą mnie testować w zmienionych warunkach, wiem, że jest to normalne, i mam nadzieję, że obie strony ów test przejdą pomyślnie. Po drodze informuję dzieciaków, że czeka nas w Olsztynie krótki marsz. Przejdziemy od dworca głównego na Dajtki pieszo. Nie będziemy pchać się taką grupą do zatłoczonych miejskich autobusów, zresztą trochę zaprawy na początek dobrze im zrobi. Zdania są tu podzielone, ale ja stawiam na swoim. Jest bardzo ciepło, z bagażami idzie się więc ciężko. Po drodze dają się słyszeć głosy niezadowolenia.

– Proszę pana, daleko jeszcze? – pyta Julka.

– Ja już nie mam siły – skarży się Marcin.

– Jeszcze trochę – śmieję się. – Jesteśmy w połowie drogi.

– Ja nie mogę... – narzeka Paweł. – To jest gdzieś na końcu świata.

– A chcieliście się rozbić gdzieś w centrum miasta? – pytam nieco uszczypliwie.

– Najlepiej pod ratuszem – wtóruje, śmiejąc się, Wojtek.

Kiedy wreszcie na horyzoncie na tle sosnowego lasu pojawia się olsztyński Novotel, a ja informuję, że jesteśmy prawie na miejscu, wszyscy odczuwają ulgę.

– Jak tu ładnie! – zachwyca się Julka, kiedy wchodzimy na teren ośrodka.

– Superancko! – wyrywa się Wojtkowi.

Tymczasem ja rozglądam się za gospodynią. Znajduję ją w swoim mieszkaniu, gdzie wraz z mężem odpoczywa po przedpołudniowych zakupach. Sama jest tu dla siebie zaopatrzeniowcem. Witamy się serdecznie, po czym wskazuje dzieciakom miejsce, gdzie mogą rozbić swoje namioty. Aby mieć oko na wszystko, ustawiamy z Andrzejem (gospodarz) przenośny stolik. Wiesława (gospodyni) podaje nam kawę. Kawy jestem po podróży naprawdę spragniony. Dzieciaki natomiast głodne. Kiedy kończą rozstawianie namiotów, zabierają się za przygotowanie posiłku. O ile przy rozstawianiu namiotów dzieciakom pomagam z Andrzejem, o tyle przy przygotowaniu kanapek dzielnie sekunduje im Wiesława. Zarządza też przygotowanie w stołówce dla wszystkich gorącej herbaty.

– Proszę pana! – coś zaczyna już niepokoić Wojtka. – Pójdziemy jeszcze dzisiaj nad jezioro?

– Możliwe – odpowiadam. – Jest dopiero czternasta.

– Zorientuj się, czy u wszystkich jest wszystko w porządku, czy nikomu niczego nie brakuje i czy wszyscy chcą iść nad wodę.

– Na pewno – przekonuje mnie gorąco

– Dobra, dobra, jednak zrób to, o co proszę.

– No jasne – odpowiada Wojtek. – Zaraz będę z powrotem.

Było do przewidzenia, że wszyscy będą chcieli nad jezioro. Na plażę mamy kilkadziesiąt metrów, jest opłata, ale biorę bilet grupowy. Plaża tak się wszystkim podoba, że z trudem mogę zapanować nad grupą. Muszę zrobić małą odprawę.

– Słuchajcie! Tak nie może być! Albo wszyscy wchodzimy do wody, albo wszyscy idziemy na zjeżdżalnię, nie może być tak, że każdy robi, co chce.

Kilka dziewczyn nie chce się kąpać, wolą poleżeć na piasku i się poopalać. Jest mi to na rękę, bo do wody wchodzę z grupą dziesięcioosobową. Szczerze powiedziawszy sam uwielbiam pływać, więc do wody wchodzę z przyjemnością. Jednak tym młodym delfinom nie dorównuję, po dwudziestu minutach mam dość.

– Wychodzimy z wody! – krzyczę.

Ale protest mam jak w banku.

– Jeszcze trochę, proszę pana – prosi Wojtek.

– Pięć minut – dodaje Marcin.

– Niech będzie pięć minut – zgadzam się i wychodzę poczekać na nich na brzegu.

Kiedy po pięciu minutach znowu proszą o przedłużenie, tym razem nie ulegam.

– Za jakiś czas przecież wejdziemy jeszcze raz, o co wam chodzi? – udaję, że się dziwię. – Na pierwszy raz wystarczy.

– Ale fajna woda – cieszy się Paweł.

– Cieplutka – dodaje Julka.

– Rozgrzejcie się trochę, a potem ci, którzy będą chcieli, pójdą na zjeżdżalnię.

– Proszę pana... – to znów Wojtek.

– Słucham...

– Będzie wieczorem ognisko?

– Oczywiście, że będzie – potwierdzam. – Chociażby z tego powodu, że musicie zjeść jakąś kolację. Wszyscy mają kiełbaski na ognisko? – pytam.

– Wszyscy – odpowiada mi chór.

– Mam nadzieję, że odnieśliście je, tak jak proponowała pani Wiesława, do lodówki...

– Tak.

– Inaczej w ten upał mogłyby się zepsuć.

– Są w lodówce – zapewnia Julka.

– No, i jak wam się podoba? – próbuję zagaić jak Szekspir.

To oczywiście pytanie retoryczne, bo po twarzach widzę, że moi podopieczni mają wielką frajdę.

– Nie wolelibyście być nad jeziorem Leśnym?

– Nie! – odpowiadają chórem.

– A nogi już nie bolą?

– A tam – śmieje się Julka.

– A tak narzekaliście...

– Niech pan nie zwraca na nas uwagi – mówi Marcin.

– No tego to ja już robić nie mogę. – Tym razem obracam sprawę w żart. – Cały czas muszę mieć na was baczenie.

Później jest jeszcze zjeżdżalnia, jeszcze później kąpiel, a kiedy zaczyna się robić chłodniej, zwijamy się i wracamy do ośrodka. Materiał na ognisko jest już przygotowany, ale dzieciaki same muszą go poukładać. Biorą się za to chłopcy.

Nie mają większego problemu, w końcu są to wiejskie chłopaki. Kiedy zapada zmierzch, wszyscy są już syci i rozmarzeni, tak jakoś ogień działa na wszystkich, bez względu na wiek. Paweł przynosi gitarę. Długo bronił się przed tym, żeby ją ze sobą zabrać, ale tak długo nalegałem, aż się zgodził. Nie wyobrażam sobie ogniska bez gitary, a w najgorszym razie bez śpiewu, ale jeśli jest jedno i drugie, właściwie mógłbym siedzieć do rana. Teraz udaje nam się wprawdzie nakłonić Pawła do grania, ale znów upiera się, że nie umie śpiewać. Z tym problemem radzą już sobie dziewczyny. Zaczynają śpiewać powszechnie znane piosenki, powoli rozkręca się więc i Paweł. Leci młodzieżowa klasyka, a więc *Biały miś* czy *Pożegnanie*. I jak w takich razach zwykle bywa, po pewnym czasie doskonale bawią się już wszyscy, także nasi gospodarze.

– A znasz *Płonie ognisko...*? – pyta Julka.

– Znam – odpowiada Paweł.

– No to zagraj...

– A umiesz *Siedem dziewcząt z Albatrosa...*?

– Umiem.

I tak dalej. Nim się spostrzegamy, jest już około dwudziestej trzeciej.

– A wiecie, że wasz pan też umie grać na gitarze? – demaskuje mnie nagle Wiesława.

– Tak? – Oczy wszystkich zwracają się ku mnie. – Czemu nic pan nie mówił?

– E, tam... – odpowiadam. – Takie tam granie. Nie ma się czym chwalić. Pani Wiesia mocno przesadza.

– Tak, tak – Wiesława upiera się przy swoim. – Gra i całkiem nieźle śpiewa – wkopuje mnie już do końca.

Wiem, że teraz mi już nie darują, i coś tam na odczepnego będę musiał zagrać. Rzeczywiście mistrzem nie jestem, nauczyłem się po prostu paru kawałków Stachury w wykonaniu Starego Dobrego Małżeństwa. Postanawiam zaśpiewać piosenkę zatytułowaną *Jak*.

Po chwili ciszy, jaka następuje od jej zakończenia, rozlegają się oklaski.

– Dobra, dobra – mówię. – Już się tak nie podlizujcie. Nic nadzwyczajnego w tym wykonaniu nie było – żartuję.

– Proszę pana, jeszcze jedną – prosi Julka.

– Miała być jedna i była. Więcej nie umiem – bronię się.

– Nie wierzymy – stwierdza Paweł. – Prosimy o jeszcze jedną.

– No dobrze – zgadzam się. – Zaśpiewam jeszcze jedną. Będzie to *Gloria*.

Kończę i zarządzam przygotowania do ciszy nocnej. Tym razem bojkotuje mnie również Wiesława.

– Jeszcze jedną tylko i idziemy spać...

– Jaką? – pytam, grożąc Wiesi palcem.

– *Zrozum*...

– To nie jest piosenka dla dzieci – śmieję się. – Zresztą ona jest bardzo smutna.

– Ukołysze nas do snu – Wiesława obstaje przy swoim.

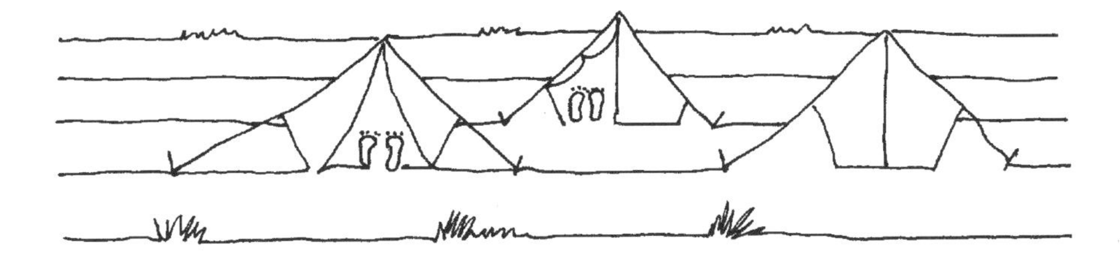

Ostatecznie śpiewam i tę piosenkę, po czym zdecydowanie zarządzam przygotowania do snu. Przewiduję, że i tak do jakiejś trzeciej dzieciaki spać nie będą. Noc mija jednak w miarę spokojnie. Od czasu do czasu w którymś namiocie wybucha salwa śmiechu, no ale tego już dzieciakom zabronić nie mogę. Rano mają trochę kłopotów ze wstawaniem, ale jestem bezlitosny. Budzę wszystkich i osobiście pilnuję, żeby wychodzili z namiotów. Uprzedzam, że najpóźniej o dziewiątej maszerujemy na plażę. Wiesława jeszcze wieczorem uprzedza mnie, że szykuje dzisiaj dzieciakom niespodziankę. Mamy wrócić na obiad między trzynastą a czternastą. Gospodyni funduje wszystkim naleśniki. To pozostanie niespodzianką, bo nic im o tym nie powiem, dopóki nie wrócimy do obozu. Nad wodą powtórka z wczorajszego dnia. Niby nic nowego, a cieszy tak samo. Czuję, że Paweł ma ochotę ze mną porozmawiać, więc chcąc mu to ułatwić, zaczynam pierwszy.

– Od dawna grasz na gitarze?

– Nie, uczę się dopiero dwa lata – odpowiada.

– Sam się uczysz?

– Na początku pomagał mi kolega brata. Teraz już sam...

Nigdy bym nie pomyślał, że ten blondyn o kręconych włosach potrafi czymkolwiek zajmować się na poważnie. Zawsze były mu w głowie tylko niezbyt poważne żarty, a już na pewno w porządku jego dnia nie było na pierwszym planie nauki.

– Fajnie, że masz takie zacięcie... – Czuję potrzebę pochwalenia chłopaka.

– A pan?

– Ja, to tak sobie. Po prostu lubię te piosenki. Nic innego nie umiem.

– No, fajne są – stwierdza Paweł. – Nauczyłby mnie ich pan? – pyta.

– Jeśli chcesz, nie ma sprawy. Jeszcze dziś podyktuję ci do nich słowa i podam chwyty.

Widzę, że Paweł jest bardzo zadowolony. Ja też jestem, bo przy okazji on i inne dzieciaki dowiedzą się o istnieniu Stachury.

Niespodzianka bardzo się udaje. I dzieje się jak w piosence Czesława Niemena. Wprawdzie Niemen śpiewał o gościach, a nie o dzieciach, ale jedni i drudzy zjedli „całą masę naleśników z cukrem miałkim". Z tą tylko różnicą, że moi uczniowie zjedli także całą masę naleśników z dżemem. Nie powiem, że ja stronię od talerza, ale dla mnie jest to znów czas na wspaniałą czarną kawę. Później bierzemy się z Pawłem za Stachurę. Jest kilka zainteresowanych sprawą dziewcząt, więc oferują, że zapiszą dyktowane przeze mnie słowa Pawłowi. Paweł natomiast zapisuje w zeszycie chwyty. Okazuje się, że swój prywatny muzyczny zeszyt prowadzi o wiele lepiej niż szkolne przedmiotowe, także do przedmiotów prowadzonych przeze mnie.

– Paweł, ty nawet do polskiego nie masz takiego ładnego zeszytu – wytykam mu delikatnie.

– Ale zeszytem do polskiego nie chwali się dziewczynom – podsumowuje go Wojtek i chyba trafia w sedno, bo Paweł czerwieni się po uszy.

Chłopak szybko jednak koncentruje się na pracy i stwierdzam, że jest naprawdę zdolny. Już po godzinie ćwiczeń, trochę się oczywiście myląc, gra dwie piosenki Stachury.

– Jak tak dalej pójdzie, przy wieczornym ognisku będziesz w stanie nam to już zagrać – stwierdzam.

– E, chyba nie – Paweł jest skromny. – Pan to zrobi lepiej.

– Dziewczyny pomogą ci zaśpiewać – zachęcam naszego gitarzystę. – Do wieczora nauczą się słów. A jeśli się nawet nie nauczą, będą śpiewać z kartek.

Kiedy nadchodzi wieczór, niebo jest naprawdę piękne. Skrzy się tysiącami gwiazd, wśród których ludzie lubią rozpoznawać Wielki Wóz i Mały Wóz, Drogę Mleczną, Wielką Niedźwiedzicę i inne gwiazdozbiory. Mnie to jednak zupełnie nie pociąga, jakoś wolę się trzymać bliżej ziemi i ludzi. Może dlatego jestem z dzieciakami przy ognisku i czuję się świetnie. Jestem zadowolony, że wszystko idzie dobrze, i właściwie urządzamy dzisiaj mały wieczór poetycki, bo już nie tylko będziemy grać piosenki Stachury, ale co nieco o nim opowiem. Oczywiście nie o tym, kiedy się urodził, kiedy zmarł, to ich nudzi. Spróbuję powiedzieć, jakim był człowiekiem. I właśnie wtedy, kiedy usiłuję to uczynić, uświadamiam sobie, że tego nikt przecież nie wie. Zaczynam mieć wątpliwości, co powinienem mówić młodym ludziom, a czego nie mówić. Mogę powiedzieć, że był człowiekiem niezwykle wrażliwym, że kochał świat i ludzi, ale nie mogę powiedzieć, że może właśnie to doprowadziło go do samobójstwa. Nie mogę powiedzieć, że wrażliwość często gubi, a ludzie i świat niekoniecznie zasługują na bezgraniczną miłość. Zaczynam żałować, że wdałem się w ten temat, bo dla mnie samego jest on zbyt trudny.

– To dlaczego on popełnił samobójstwo? – Paweł jest poruszony.

– Kto to może wiedzieć – odpowiadam. – Może dlatego, że nie odnalazł dla siebie miejsca na świecie, a może sensu własnego życia. Może kogoś bliskiego, miłości, którą nazywał „gałązką jabłoni".

– Ale przecież kochał świat... – nie może pojąć Julka.

– Więc może świat nie odwzajemnił mu miłości – głośno myślę. – Zresztą przyszło mu żyć naprawdę w trudnych czasach.

– Dlaczego? – dopytuje się Wojtek.

– Jego rodzina powróciła z Francji do Polski trzy lata po zakończeniu wojny. To były czasy największego reżimu i komunistycznego terroru w Polsce.

– To po co wracali? – dziwi się Marcin.

– Wracali do swojej ojczyzny. Skąd mogli wiedzieć, jaka ona będzie. Zresztą nie sądzę, aby dwunastoletni wtedy Edward miał cokolwiek do powiedzenia.

– To tak, jak my – użala się nad sobą Marcin.

– No, no – stopuję go. – Tylko nie przesadzaj.

– Żartowałem – śmieje się Marcin.

– Nam, na szczęście, przyszło żyć w lepszych czasach – próbuję skierować rozmowę na inne tory, nie chcę, abyśmy zakończyli wieczór w takim minorowym nastroju.

– Dlaczego tak pan uważa? – pyta Wojtek.

– Z wielu powodów. Po pierwsze mamy pokój, po drugie nikt nie okupuje naszego kraju, po trzecie sami się rządzimy u siebie i tak naprawdę prawdziwą biedę znacie już tylko z książek. Kto wie, jakie książki mam na myśli? – znów próbuję dokonać małej powtórki z literatury.

– *Nasza szkapa*? – po chwili zastanowienia dopytuje się Julka.

– Bardzo dobrze – czuję się w obowiązku pochwalić dziewczynę.

– *Antek*! – wykrzykuje Marcin.

– *Janko Muzykant* – dopowiada Wojtek i widzę, że teraz już wiedzą, o co chodzi.

Dziś, podobnie jak wczoraj, moje dzieciaki nie myślą kończyć ani rozmowy, ani ogniska. Znów muszę im przypomnieć, że pora już spać. Znów muszę krwawo stłumić bunt, spacyfikować buntowników i rozproszyć po namiotach. Moje zwycięstwo jest druzgocące, ale trzeba przyznać, że nie poddali się bez walki. Ostatecznie i ja udaję się na z góry upatrzoną pozycję, czyli do swojego pokoiku w domku campingowym, gdzie mam okno z widokiem na obóz. Po wieczornej toalecie zamierzam sobie jeszcze trochę poczytać albo popisać. Najpierw siadam więc do stolika, a skoro stwierdzam, że nic mądrego do głowy mi nie przychodzi, postanawiam w łóżku sobie poczytać. Ciągle jeszcze zgłębiam wydane niedawno, teoretycznie wszystkie, dzieła Gombrowicza, wydane dodajmy w sztywnych okładkach w niewielkim nakładzie, w miękkich zaś w nakładzie masowym. Właściwie niczego to nie zmienia, bo i jedne, i drugie sprzedały się w całości spod lady. Kiedy udaje mi się już prawie wyłączyć, zapomnieć o urokach otaczającego mnie świata, przenieść w Gombrowiczowski świat groteski, kiedy już prawie popadam w stan błogiej kontemplacji, ktoś brutalnie wali do drzwi.

– Wojtek! – spoglądam zdumiony. – Co się stało?

– Coś się stało z Anetą!

– Co takiego? – ogarnia mnie niepokój.

– Nie wiem! – mówi zdenerwowany chłopak. – Chyba zachorowała.

Pospiesznie ubieram się i biegnę za Wojtkiem do namiotu, w którym śpi Aneta. Tu jednak czeka mnie niespodzianka. Otóż dziewczyny nie chcą mnie wpuścić, twierdząc, że Anecie nic już nie jest i wszystko będzie w porządku. To mnie jednak wcale nie uspokaja.

– Skoro tak, moje drogie, idę po panią Wiesławę. – Jej nie musicie się wstydzić.

Wiesława, nie mniej zdenerwowana niż ja, pędzi za mną do namiotu Anety. Teraz już muszą otworzyć. Wiesława czas jakiś nie wychodzi, ale kiedy wreszcie to czyni, minę ma mocno sfrustrowaną.

– To nie jest żadna choroba, Marek – Wiesia zwraca się do mnie.

– Więc o co tu chodzi? – jestem coraz bardziej zdumiony.

– Zgadnij, co poczułam w namiocie?

– Przestań mnie dręczyć! Papierosy? – zaczynam domyślać się najgorszego.

– Co jeszcze? – Wiesława męczy mnie dalej i chociaż domyślam się już, o co chodzi, tak bardzo nie chciałbym wypowiadać tego strasznego dla tych okoliczności słowa.

– A więc alkohol? – muszę to wreszcie wydusić z siebie.

– Niestety, tak – Wiesława potwierdza moje najgorsze przypuszczenia. – Ta dziewczyna jest kompletnie pijana.

I jakby na potwierdzenie wypowiedzianych przez Wiesię słów wprost z namiotu wypada wymiotująca Aneta. Powiedzieć, że jestem w tym momencie wściekły, to o wiele za mało. Jestem nie tylko wściekły, palę się ze wstydu i całe szczęście, że jest noc, która retuszem pokrywa moje płonące ze wstydu policzki.

– Połóż się spać, Wiesiu, przepraszam, że cię fatygowałem – wypowiadam jedyne słowa, jakie w tej chwili jestem w stanie wymówić.

Jeszcze jedno dziś muszę uczynić. Zapowiadam na jutro wyciągnięcie surowych konsekwencji wobec wszystkich mieszkanek owego namiotu. Przypominam też o przyjętej przez nas na wstępie zasadzie. Jutro zwijamy o dzień wcześniej obóz. Wracam wściekły do siebie, ale czuję, że za mną posuwa się jak cień Wojtek.

– Wojtek?

– Tak? – odzywa się chłopak.

– Coś jeszcze? – pytam.

– Czy moglibyśmy jeszcze porozmawiać? – pyta nieśmiało.

– O czym? – jestem dość szorstki, ale sytuacja przecież mnie do tego zmusiła.

– No, o tym... wszystkim...

– Co tu jeszcze można powiedzieć?

– Bo widzi pan, ja, tak jakbym podkablował?

Mój Boże! Chwytam się za głowę. Przecież powinienem był o tym pomyśleć. Ten chłopak czuje się teraz nie lepiej niż ja.

– Dobra, Wojtuś, porozmawiajmy...

– Bo widzi pan, jeżeli jutro wyjedziemy, wszyscy powiedzą, że to przeze mnie...

– Wejdź na chwilę do mnie – zapraszam go, sprawa jest bowiem poważna.

– Bo widzi pan... – Wojtek nie przestaje mówić. – Ona straciła przytomność i ja...

– Powiadamiając mnie, postąpiłeś bardzo słusznie – przerywam chłopcu. – Jej naprawdę mogło się coś stać pod wpływem zatrucia alkoholowego. To przecież młody organizm. Wiesz, dlaczego nie wezwaliśmy pogotowia?

– Nie...

– Dlatego, że zwymiotowała...

– Ale czy wszyscy to zrozumieją...

– Postaramy się to wszystkim uzmysłowić...

– Że przeze mnie zwijamy obóz...

– Wojtku, mam całą noc, żeby to wszystko przemyśleć... Wiem, że byłeś między młotem a kowadłem...

– Nie wyjeżdżajmy jutro, proszę...

– A ja proszę, żebyś już poszedł spać, bo właśnie teraz zaczną cię podejrzewać, że knujesz ze mną – próbuję obrócić sprawę w żart, Wojtek jest jednak bardzo poważny.

– To co?

– Dobrze. Poszukam wyjścia awaryjnego, bo nie chcę, żebyś zadręczał się całą noc... A teraz uciekaj już...

– Dziękuję i dobranoc. – Twarz chłopakowi zajaśniała.

– Na razie niczego nie rozpowiadaj. Umowa stoi?

– Jasne.

– Dobrej nocy.

Oczywiście najpierw popadam w doła. Bo oto wydawało mi się, że jestem wspaniałym wychowawcą, który radzi sobie z młodzieżą jak mało kto na świecie, który pomaga rozwiązywać ich własne problemy i który w kontaktach z młodymi ludźmi nie napotyka żadnych przeszkód. Tymczasem na pierwszym szkolnym biwaku o mało nie dochodzi do katastrofy. Dziewczyna bez mała zapija się na śmierć i to wtedy najprawdopodobniej, kiedy nauczyciel wraz z resztą uczniów bawi się przy ognisku w poezję śpiewaną. Tu poezja, tam proza życia, ale to przecież kolejna okazja do okrycia się jak najgorszą sławą, do złamania mojej, tak przecież dobrze zapowiadającej się kariery pedagogicznej. Już widzę oczyma wyobraźni, jak krzyczą o tym nagłówki artykułów gazet, podają tę fatalną informację dzienniki radiowe i telewizyjne, a wszystkie moje koleżanki z roku i znajomi ze studiów zafrasują się, myśląc: „ten Maras... znów wpakował się w jakieś kłopoty". Potem przychodzi wreszcie opamiętanie. Przypominam sobie, o co prosił mnie Wojtek, i zaczynam intensywnie myśleć. W namiocie z Anetą mieszkają jeszcze Dorota i Baśka. Swoją drogą po żadnej z nich nie spodziewałbym się podobnych zachowań. Chcę wierzyć, że był to jednorazowy idiotyczny i szczeniacki wybryk. Bez względu na to, muszę podjąć działania drastyczne, takie, z których jasno będzie wynikać, że tego rodzaju zachowania są niedopuszczalne. Następnego dnia wstaję zmęczony. Robię pobudkę i zbiórkę.

– Mam nadzieję, że wszyscy pamiętają, co podpisywali przed wyjazdem na biwak...

– Tak – odpowiadają nieliczne głosy i nie jest to już taki zgodny chór, jak to nierzadko bywało, gdy rozmawialiśmy na temat przyjemniejszych spraw...

– Więc wiecie, co nas dziś czeka? – Wprawdzie stwierdzam, ale mówię to pytającym tonem.

– Tak – I znowu nieliczne tylko głosy.

– Czy mam wam przypomnieć treść oświadczenia, które przed wyjazdem wszyscy indywidualnie podpisali? Czy może nie jest to konieczne?

– Nie trzeba – kilka odpowiedzi.

– Proszę pana – Przed szereg występuje Aneta. – Niech pan wyznaczy karę tylko nam, niech wszyscy przez nas nie wyjeżdżają – prosi, a ja myślę sobie, że to już coś.

– Ale zasada jest zasadą – stwierdzam.

– Prosimy o ukaranie tylko nas – do prośby dołączają się koleżanki Anety z namiotu.

– Jak to sobie wyobrażacie? – pytam.

– To zależy od pana – stwierdza Aneta. – Zgadzamy się ponieść każdą karę, tylko niech pan nie każe wszystkim wracać.

– Więc dobrze. Najważniejszą dla mnie sprawą jest to, że po powrocie do domu same powiadomicie o zdarzeniu rodziców, a następnie wraz z nimi zjawicie się w szkole.

Kiedy wypowiadam to zdanie, wszyscy są przerażeni. Sądzę, że każdy z uczniów wyobraża sobie siebie w sytuacji, w jakiej znajdują się dziewczyny, a wyobrażenia, wydaje mi się, są podobne. Są w wieku, w którym raczej buntuje się przeciwko rodzicom, a nie podporządkowuje ich woli. Wyznaczoną przeze mnie karę wszyscy odbierają jako bardzo surową i okrutną. Tym lepiej, zresztą innego wyjścia nie mam.

– Zrobimy to – zgadza się Aneta.

– To na razie tyle – oświadczam. – Reszta, w tym sprawa oceny z zachowania, po powrocie do szkoły.

Później zastanawiamy się z Wiesią, czy zabrać dziewczyny nad jezioro, czy może zostawić za karę w obozie, dochodzimy jednak do wniosku, że powinienem je mieć pod opieką. Oczywiście o kąpieli mogą sobie tylko pomarzyć. Program kolejnego dnia jest więc taki sam jak w dni poprzednie: jezioro, powrót na obiad, jeszcze raz woda i ognisko. Są to jednak tylko pozory. Dziś nic już nie jest takie samo jak wczoraj. Tylko Wojtek spogląda na mnie z wdzięcznością.

Ostatnie ognisko też jest smutniejsze niż inne. Niebo jest czarne jak asfalt, nastroje większości podobnie przygasłe. To jednak także dlatego, że jutro wyjeżdżamy. Zastanawiam się, czy powinienem uznać ten biwak za swoją całkowitą porażkę i pocieszam się myślą, że chyba jednak nie. Chciałem osiągnąć ideał i to się nie udało. Może jednak dzięki temu wszyscy się czegoś nauczyliśmy czy też dopiero nauczymy. A że problemy były, to prawda. Lecz tak naprawdę nie ma ich tylko ten, kto nie żyje.

W drodze powrotnej moje dzieciaki ogarnia powszechna śpiączka i to tak dalece zaawansowana, że gdybyśmy byli w Afryce, miałbym pełne powody do niepokoju. Szczerze powiedziawszy, i mnie opadają powieki, ponieważ jednak wolę mieć oko na wszystko, walczę heroicznie ze snem aż do samego końca podróży.

Dziewczyny słowa dotrzymują. W ciągu tygodnia każda zgłasza się z którymś ze swoich rodziców. Tyle, że z rozmów z nimi niewiele wynika. Bagatelizują problem, przekonują, że to się dotychczas nie zdarzyło, wreszcie obiecują policzyć się z córkami, jak tylko wrócą do domu. A przecież mnie najmniej chodzi o to akurat, żeby ktoś komuś sprawił lanie. Niestety konsekwentnie obniżam dziewczynom ocenę z zachowania na koniec roku o jeden stopień. Odnoszę wrażenie, że dla takiego działania zyskuję aprobatę całej klasy, nawet tej jej części, która w wyjeździe nie uczestniczyła. Na szczęście to dopiero szósta klasa, w ósmej byłoby gorzej.

◊ ◊ ◊

Początek siódmej klasy stoi pod znakiem gazetki. Z prasy dowiadujemy się o ogólnopolskim konkursie na szkolną gazetkę i natychmiast postanawiamy przygotować materiał. Należy wysłać kilka ostatnich numerów, chcemy więc złożyć do konkursu te z ubiegłego roku i jeszcze jeden przygotować we wrześniu. Konkurs ogłasza Fundacja im. Stefana Batorego oraz Fundacja „Wyzwania". Dzieciaki są podekscytowane. Angażuje się zwłaszcza zespół redakcyjny: Grzesiek, Julka, Wojtek, ale także Kaśka i Rafał.

– Musimy zrobić wszystko, aby wrześniowy numer był najlepszy – stwierdza Grzesiek.

– Dlaczego? – dziwi się Kaśka.

– Dlatego, że komisja szczegółowo przejrzy wszystkie numery, a każda następna gazetka powinna być lepsza od poprzedniej.

– Grzesiek ma rację – potwierdzam. – To będzie świadczyło o tym, że się rozwijacie, że jesteście coraz lepsi, ostatni numer powinien być więc najlepszy.

– Zróbmy tak – zgadza się Kaśka.

– Zmobilizujmy wszystkie siły – zapala się Julka.

– Marcin musi zrobić najlepsze rysunki w życiu – dodaje Rafał.

– Wszystko musi być gotowe do 20 września – stwierdza Wojtek. – Potem powielanie i najpóźniej 25 musimy to wysłać. Do 30 musi dojść do Warszawy.

– Damy radę – Grzesiek jest optymistą.

– Trzeba pilnie zgromadzić materiały – Julka jest już gotowa do działania.

– Każdy musi dać z siebie wszystko! – podsumowuje Grzegorz. – Niech każdy bierze się za swoją działkę! – wydaje rozkaz jak przystało na naczelnego.

Dzieciaki stają na wysokości zadania. Do wrześniowego numeru nie brakuje nam materiału, jest go nawet więcej niż trzeba. Wykorzystujemy najciekawsze wspomnienia z wakacji, a ja od siebie dorzucam humor z zeszytów szkolnych. Przygotowujemy 100 egzemplarzy gazetki, a zespół redakcyjny wybiera spośród nich taki, który powielony jest najwyraźniej i najlepiej. Przy pakowaniu przesyłki obecni są niemal wszyscy. Dzieciaki są tak podekscytowane, że podniecenie udziela się i mnie. Cały orszak maszeruje za Grześkiem i Wojtkiem przez całą wieś w kierunku poczty i wszyscy z namaszczeniem przyglądają się, jak pani naczelnik nakleja na przesyłkę znaczki, a następnie przystawia na nich stemple. W pewnym momencie odnoszę wrażenie, że ta paczka stała się dzieciakom tak bliska, że odbiorą ją pani z poczty, nie wyślą, a w najlepszym razie nie wyjdą z urzędu pocztowego już nigdy, z pewnością zaś nie pozwolą paczki zapakować na pocztowego Żuka i wywieźć jej w świat.

– Grzegorz już zapłacił za przesyłkę – próbuję wyrwać dzieciaki z letargu.

– No, tak – stwierdza Grzegorz. – Nic tu po nas. Możemy już iść.

Kiedy wracamy do szkoły, panuje nienaturalna cisza. Wszyscy mają miny skupione i poważne. Zaczyna mnie to niepokoić.

– Hej, moja znakomita drużyno! Mam nadzieję, że nie założyliście, że koniecznie musimy zdobyć główną nagrodę... – próbuję trochę rozluźnić atmosferę.

– Nie – odpowiada Grzegorz. – Ale chcielibyśmy być zauważeni. Wątpię jednak, żeby ktoś zwrócił uwagę na gazetkę z małej szkółki gdzieś tam z zabitej dechami wsi.

– Grzegorz! – Jestem naprawdę zaskoczony. – Nawet tak nie myśl. Na pewno nie takie kryterium zastosuje powołana przez organizatorów konkursu komisja. Czy ty myślisz, że gdzieś tam w szkołach w Olsztynie czy Warszawie uczy się inna, lepsza młodzież. Nie miejsce, w którym człowiek żyje, świadczy o jego wartości, ale że jest tu wam trudniej, z tym oczywiście zgodzić się muszę.

– No właśnie! – idzie mi w sukurs Kaśka. – Jaka tam znowu zabita dechami wieś. Wieś jak wieś. Mnie jest na przykład tutaj dobrze.

– A ja bym chciał wyjechać, skończyć studia, zostać dziennikarzem w mieście... – Grzesiek opowiada marzycielskim tonem.

– I zostaniesz – stwierdzam. – Bo jeśli ktoś czegoś bardzo chce, z pewnością to osiągnie.

– Chcieć to móc, stary – śmieje się Wojtek i rąbie Grześka dłonią w ramię.

Grzegorz nie pozostaje mu oczywiście dłużny i tak rozweseleni wkraczamy w mury szkoły.

◇ ◇ ◇

Tymczasem w moim służbowym mieszkanku rozpoczynam kolejny remont. Okazuje się bowiem, że mimo funkcjonowania centralnego ogrzewania w mieszkaniu, zwłaszcza zaś w pokoju, w którym najczęściej pracuję, jest ciągle zimno. Ma się nawet wrażenie, że kiedy na dworze wieje silny wiatr, u mnie nieznacznie podnosi się na podłodze wykładzina. Dowiaduję się od ludzi, że kiedy likwidowano tu wiejską gospodę, istniejącą pod podłogami piwnicę po prostu zasypano. Domyślam się, że nie jest zasypana dokładnie i to właśnie dlatego pod moją drewnianą podłogą hulają przeciągi. Wraz z kilku byłymi już moimi uczniami, którzy wrócili do domu po wojsku, postanawiamy zajrzeć pod podłogę. Jeden z chłopaków, Mirek, najmniejszy i najszczuplejszy, przeciska się przez ocalałe okienko do piwnicy i wypiłowując od dołu deska po desce, przygotowuje właz. Przekonujemy się, że domysły były słuszne. Piwnica rzeczywiście zasypana jest tylko do połowy. Postanawiamy wynieść gruz i ziemię, przynajmniej z jej części, i zamurować otwory, które powodują, że są przeciągi. Przy okazji część piwnicy przywrócimy do stanu używalności. Nie spodziewam się jeszcze, ile narobię sobie bałaganu, sprawa jest już jednak przesądzona. Robota rusza nazajutrz. Ekipę remontowo-budowlaną stanowią Mirek i Krzysiek. Zostawiam ich na placu boju, a sam idę do pracy. Kiedy wracam ze szkoły na podwórku pod oknem od kuchni zastaję górę gruzu i ziemi, w mieszkaniu zaś piaszczysto-gliniastą ścieżkę prowadzącą od piwnicznego włazu w pokoju do okna w kuchni. Natomiast chłopaki wyglądają jak utytłane błotem dżdżownice.

– Jak idzie robota? – pytam na powitanie.

– Dobrze – odpowiada Mirek, a Krzysiek dodaje:

– Tylko jak dotąd nie znaleźliśmy żadnych skarbów.

– A więc to tak – śmieję się z żartu Krzyśka. – Nareszcie się wydało, o co tak naprawdę wam chodzi...

– O co? – Mirek zdaje się nie rozumieć.

– Wcale nie chodziło wam o to, żeby w czymś mi pomóc, mieliście jedynie nadzieję na znalezienie cennych skarbów...

– Oczywiście, że tak – Krzysiek żartuje dalej. – A pan myślał inaczej?

– No, ja w swej naiwności myślałem inaczej. Wobec tego zwalniam was, poszukam sobie bardziej oddanych pracowników.

– Dobrze! – Mirek rzuca łopatą. Wreszcie i on zaczyna rozumieć całą sytuację. – W takim razie idziemy – zwraca się do Krzyśka.

– Zaraz, zaraz, panowie! Kieszenie! Kto wie, co tam wynosicie...

– Ja nic nie mam – Krzysiek wywraca na zewnątrz kieszenie spodni. Okazuje się jednak, że ma w nich co najmniej po garści ziemi.

– I to ma być nic! – nacieram na Krzyśka. – A ta bezcenna ziemia spod mojej podłogi, którą, jak się okazuje, garściami wynosicie i pewnie sprzedajecie po całej wsi za grube pieniądze...

– Taaaa... – przeciągle mówi Krzysiek. – Za grube pieniądze. Taka glina!

– A co? – pytam. – Glina jest jeszcze droższa.

– Przestańcie już! – trzyma się za brzuch Mirek. – Błagam... Nie mogę już was słuchać...

– Ty tu nie próbuj odwrócić mojej uwagi od sedna sprawy. Ile taczek gliny opchnął już dziś Pawłowskiemu?

– Taczek? – śmieje się Mirek. – Pawłowski ostatnio robi jeden piec na cztery miesiące. Po co mu tyle gliny.

– A pewnie i cegieł przyczepę już wyniósł, co? Niech się przyzna – zwracam się do Krzyśka.

– Niczego ja nie wynosił i tej wersji się będę trzymał – odparowuje Krzysiek.

– No, dobra – udaję zrezygnowanego. – Ale wypłaty dzisiaj nie będzie!

– Jak zwykle nasza strata – skarży się Krzysiek. – „Ksiądz pana wini, pan Księdza, a nam biednym zewsząd nędza".

– No proszę, jak to się cytatami nie w porę posługiwać nauczył – mówię ciągle jeszcze żartobliwym tonem. – A swoją drogą – to już mówię poważnie – zaimponowałeś mi. Powiedz jeszcze skąd ten cytat, a uznam, że wyniosłeś ze szkolnej ławy coś więcej niż tornister.

– Tornister, tornister – przedrzeźnia mnie Krzysiek. – Wiem, jest to cytat z Kochanowskiego...

– Bardzo blisko – chwalę Krzysztofa, tyle że to nie Kochanowski, a Mikołaj Rej. Ten fragment pochodzi z *Krótkiej rozprawy między Panem, Wójtem a Plebanem*. Cieszę się, że przynajmniej trafiłeś w epokę.

Nie jest mi dane w tym momencie wiedzieć, że szykujemy pułapkę na jednego z moich nieproszonych gości, który niemal co miesiąc uprzykrza mi się namolnymi prośbami o pożyczkę jakichś pieniędzy, a chociaż tylko teraz po raz pierwszy i pewnie ostatni w życiu jestem milionerem, wcale ich nie mam za dużo. Niedługo później dzieje się mianowicie tak. Najpierw otwieram właz do piwnicy, bo coś tam z niej zapragnąłem przynieść. Później zajmuję się czymś innym, zapominając o konieczności jego zamknięcia. Kiedy siedzę w fotelu, do mojego mieszkania dokonuje wtargnięcia natręt i sunie prosto do mnie, nie myśląc o spojrzeniu na podłogę. Słowo „dzień" wypowiada jeszcze na powierzchni, słowo „dobry" dolatuje już do mnie spod pokładu. I nic mi wtedy nie pomaga świadomość, że w takiej sytuacji kulturalnemu człowiekowi naprawdę nie wypada się śmiać. I teraz już nie wiem, czy go tym obrażam, czy też swojego upadku nie uznaje on za przypadek, faktem jest, że więcej po pożyczkę nigdy już u mnie nie zawita.

◇ ◇ ◇

Po dwóch miesiącach przychodzi do szkoły pismo, że jesteśmy laureatami konkursu na gazetkę szkolną. Radości dzieciaków nie da się wprost opisać. Ja cieszę się wcale nie mniej. Zwłaszcza że prócz nagrody pieniężnej otrzymujemy zaproszenie do Warszawy na kilkudniowe warsztaty i wręczenie nagrody. W programie mamy wiele atrakcji, między innymi spotkania z wybitnymi dziennikarzami. Zapraszają trzyosobową delegację z opiekunem. I tu zaczyna się problem. Jechać chcieliby przecież wszyscy. Konieczna jest bardzo ważna narada.

– A może zrobić losowanie... – proponuje Julka.

– To nie jest dobry pomysł – sprzeciwiam się osobiście. – Czy skład zespołu redakcyjnego jest przypadkowy? Czy wybieraliście się świadomie, kierując się określonymi kryteriami? – Bardziej stwierdzam, niż pytam.

– No, tak – przyznaje Wojtek.

– Więc Grzesiek jedzie na pewno. Chyba się ze mną zgodzicie? – pyta Kaśka.

– Redaktor naczelny powinien jechać. – Pomysł Kaśki popiera też Artur.

– No, dobra... – Grzesiek jest zakłopotany. – Ale naczelny powinien być z zastępcą.

– Właściwie, tak – przyznaje Marcin.

– No to zostaje już tylko jedno miejsce... – stwierdza Kaśka i mam wrażenie, że jest nieco podenerwowana.

– Wydaje mi się, że jest to miejsce dla sekretarza redakcji – zauważa Grzesiek.

I chociaż wszyscy się z tym godzą, mam wrażenie, że Kaśka nie jest zadowolona. Jeszcze bardziej utwierdzam się w tym przekonaniu, kiedy Kaśka pospiesznie opuszcza zebranie, a przecież nigdy tego dotąd nie robiła.

Jest to dla mnie sygnał i obiecuję sobie, że w najbliższym czasie porozmawiam z dziewczyną.

Ale zanim dochodzi do rozmowy, domyślam się już powodu jej rozdrażnienia. Ani chybi chodzi o Wojtka. Kiedy dodatkowo Kaśka zaczyna również unikać naszych zebrań, postanawiam najpierw porozmawiać z Wojtkiem.

– Wojtek, chcę wierzyć, że przynajmniej ty przyznasz mi rację, że z wyjazdem do Warszawy inaczej postąpić nie mogliśmy...

– Ale nie wiem, o co chodzi?! – Wojtek zdaje się nie rozumieć.

– Jak to nie wiesz, o co. – Z kolei ja udaję oburzonego. – Jechać czy nie jechać!

– Jechać czy nie jechać? – Wojtek robi duże oczy. – To mielibyśmy się nad tym zastanawiać?

– Jasne, że żartuję. Ale nie mów, że nie wiesz, o co mi chodzi.

– Może o skład delegacji?

– Naturalnie, że o skład delegacji. Nie uwierzę, że ty nie widzisz tego, co ja widzę.

– Więc może chodzi o Kaśkę?...

– Owszem, właśnie o nią. Chyba rozumiesz, że z nami jechać nie może...

– No rozumiem, ale nie rozumiem, o co właściwie jej chodzi.

– I kto to mówi? Wojtek, czy ty chcesz dostać w ucho? – Przybieram ton pozornie groźny.

– No, nie chcę.

– Więc proszę, żebyś porozmawiał z Kasią, ale to ma być taka rozmowa, żeby wszystko powróciło do normy.

– Będzie dobrze, jak nie teraz, to na pewno po powrocie z Warszawy.

– Wolałbym, żeby było dobrze już teraz.

Wyjazd przeżywamy wszyscy. I ci, co jadą, i ci, co nie jadą. Choć podróż będzie trwała zaledwie pół dnia, dla nas jest wielką wyprawą. Dzieciaki będą w Warszawie po raz pierwszy, i to z kolei przeżywam ja, bo chciałbym im w niej pokazać jak najwięcej. To zmartwienie już wkrótce okaże się na wyrost, ponieważ program pobytu będzie tak zorganizowany, że wolnego czasu prawie nie pozostanie nam wcale. Wkrótce okaże się również, że moi podopieczni najchętniej z mojej opieki korzystaliby jak najmniej. Jeszcze w pociągu uruchamia się w nich dziwny mechanizm popychający ich ku wędrowaniu, choć do zwiedzania są przecież tylko wagony pociągu. Po przesiadce dochodzi jeszcze, sprawa oczywista, wagon restauracyjny Wars, który przyciąga ich jak magnes.

– Wojtek, niczego tam nie kupujcie – apeluję do dzieciaków. – Wszystko tam jest dwa razy droższe niż normalnie.

– Ale my chcemy tylko popatrzeć – odpowiada Wojtek i po pewnym czasie wraca z jakąś oranżadą czy inną lemoniadą.

– Ostrzegam was – mówię – że zaraz pewnie będzie jechał jakiś pan czy pani z wózkiem, oczywiście też z Warsu, także tu niczego nie kupujcie.

Gdy po chwili nadjeżdża, reakcja moich podopiecznych jest do przewidzenia.

– A po ile są te batoniki? – pyta Julka.

– W jakiej cenie guma do żucia? – interesuje się Grzesiek.

Naturalnie żadnego z nich nie satysfakcjonuje zaspokojenie ciekawości. W tej sytuacji nie mogę odmówić sobie prawa do złośliwości, gdy na którejś ze stacji przebiega przez wagon jakiś ochrypnięty gość, wołając:

– Piwko zimne, piwko!

– Nie uważacie, że waszym wzorem powinienem to sobie zamówić? – pytam.

– Nie mamy nic przeciwko – z niezmąconym spokojem odpowiada Grzegorz.

– Na szczęście ja mam. I wiecie, co jeszcze myślę?

– Co takiego? – odpowiadają niemal chórem.

– Myślę, że w Warszawie też może się przydać parę groszy.

– Przecież tam wszystko będziemy mieli za darmo – dziwi się Julka.

– Teoretycznie tak. Jednak także w Warszawie będziecie mieli swoje zachcianki. Ani na obiad, ani na kolację nie dostaniecie batoników czy gumy do żucia...

– Naprawdę? – żartuje sobie Wojtek.

– Naprawdę – odpowiadam. – Natomiast przy odrobinie szczęścia możecie liczyć na swoje ulubione frytki.

Widoki i krajobrazy, które przelatują za oknami, nie robią na dzieciakach większego wrażenia. Wyjątek stanowi dopiero Wisła. Jej szerokość i wielkość mostu, po którym mknie nasz pociąg, przykuwa zainteresowanie moich podopiecznych.

– Jaka ogromna! – Julka jest pełna podziwu.

– Dlaczego zwalniamy? – dopytuje się Wojtek.

– Takie są przepisy podyktowane prawami fizyki – odpowiadam.

– Wiesz, co by się stało, gdyby nasz pociąg rozbujał ten most? – żartuje sobie Grzesiek.

– Nie, nie wiem – odpowiada Wojtek. – A ty skąd to wiesz?

– Z filmów, koleżko, z filmów.

– Więc co by się stało?

– Most mógłby popękać i runąć do rzeki, a my w dół razem z nim.

– Coś podobnego! – Julka jest zdumiona. – Więc grozi nam niebezpieczeństwo?

– Bez przesady – uspokajam Julkę. – Odpowiednie służby prowadzą specjalistyczne badania dotyczące stanu technicznego mostu. Mam tylko nadzieję, że wystarczająco często.

Jednak piorunujące wprost wrażenie robi na dzieciakach dojazd do Warszawy Centralnej. Kiedy nagle robi się ciemno i włączają się światła, Julka łapie Grzegorza za rękę.

– Co się stało? – pyta dziewczyna, a z jej głosu można wyczytać, że wcale jej nie do śmiechu.

– Nie wiem – natychmiast, wykorzystując okazję do żartu, odpowiada Wojtek. – To chyba coś między wami, prawda?

– Nic takiego – odpowiadam. – Wjechaliśmy w tunel.

– Uspokój się – mówi Grzesiek. – To takie metro.

– No, nie jest to jeszcze metro – wyjaśniam. – Natomiast istnieje zasadnicza różnica między znanym wam dworcem kolejowym Olsztyn Główny a Warszawą Centralną.

– Jaka? – Grzegorz jest zaciekawiony.

– Zwróciliście uwagę, że na perony w Olsztynie przechodzi się podziemnymi przejściami. Zgoda? – pytam.

– No, tak – odpowiada Grzesiek.

– Ale perony są na powierzchni, prawda?

– Prawda – wszyscy są zgodni.

– Na dworcu warszawskim jest inaczej. Wszystkie perony znajdują się pod ziemią, dlatego dojeżdża się do nich tunelami. Na powierzchni znajduje się tylko hala główna, gdzie usytuowane są na przykład kasy biletowe.

– I więcej dworca nie widać? – dziwi się Julka.

– Nie. Z góry, nie. Wszystko to zaraz zobaczycie, jak tylko wysiądziemy. Przejedziecie się ruchomymi schodami – dodaję.

– No, no! – mruczy pod nosem Grzesiek. – To już jest coś.

Ruch i gwar, jakie tu panują, sprawiają, że dzieciaki nagle chcą być bliżej mnie.

– Niech pan tak szybko nie idzie – prosi Julka. – Jeszcze się pogubimy.

– Proszę się mnie pilnować. Czy może wziąć kogoś za rękę? – żartuję. – Idziemy w kierunku schodów.

Tymczasem przy pociągu, który opuszczamy, rozgrywają się dantejskie sceny. Obserwujemy je kątem oka. Ponieważ pociąg jedzie dalej, tłumy usiłują się dostać do i tak już zatłoczonych przedziałów. Ludzie podają sobie bagaże przez okna. Niektórzy próbują nawet przez nie wejść do przedziałów. Tymczasem Julka ma nowy problem.

– Proszę pana, ja nie wejdę na te schody! Boję się – stwierdza.

– Chłopaki weźcie ją za ręce – grożę – albo idziemy do góry na piechotę.

Argument skutkuje natychmiast, gdyż chłopcy widzą znajdujące się obok kamienne schody.

– Jesteśmy już w tej hali? – pyta Julka, kiedy schodzimy ze schodów.

– Nie tak od razu – stwierdzam. – A poza tym uważnie się rozglądajcie – pouczam. – Czytajcie napisy, a zauważycie informacje ze strzałkami, którędy iść i dokąd.

– Jest hala główna. Jest strzałka! – woła Wojtek.

– Idźmy więc w tę stronę – proponuję.

Rozglądamy się po hali przez chwilę, proponuję wyjść przed budynek, by dzieciaki mogły obejrzeć, co z tej pozycji naprawdę widać.

– Nie ma peronów – woła Julka.

– Ani pociągów nie widać – dodaje Grzesiek.

– Ale jest Pałac Kultury – wskazuję im właściwy kierunek. – Przejdziemy tam na chwilę, byście mogli spojrzeć na dworzec z dalszej odległości.

Ponieważ mamy jeszcze trochę czasu, proponuję także, byśmy udali się w kierunku Placu Trzech Krzyży na piechotę. Nasze bagaże nie są zbyt ciężkie. W ten sposób więcej zobaczymy i będę też miał okazję co nieco opowiedzieć, zwłaszcza o powstaniu warszawskim, które przecież znają z lektury *Kamienie na szaniec*.

– Kiedy się naprawdę zmęczycie, wsiądziemy do tramwaju albo autobusu – obiecuję.

Nie męczą się jednak i dochodzimy pieszo aż pod budynek Centralnego Ośrodka Doskonalenia Nauczycieli, gdzie mamy zbiórkę. Po drodze opowiadam o Szarych Szeregach, o wędrówce ludzi kanałami, gehennie ludności cywilnej, którą znam też z opowieści mojej babci i jej siostry, bo one tu także były. Chciałbym też wspomnieć o wrześniu, bombardowaniach Warszawy, bohaterstwie warszawiaków, ale na wszystko nie ma czasu, ta długa droga okazuje się na to zbyt krótka.

– Nigdy nie wspomniał pan, że pochodzi z Warszawy – dziwi się Grzesiek

– Bo ja już się tu nie rodziłem. Nie zapominajcie, że cała ludność Warszawy została po upadku powstania wypędzona z miasta i nie wszyscy tu później wrócili. Ja urodziłem się już na Warmii i tam jest moja mała ojczyzna, choć na swój sposób kocham Warszawę i zawsze z przyjemnością tu przyjeżdżam.

– A pana rodzina? Ktoś tu został? – pyta Julka.

– Tak. Moja rodzina mieszka tu dość licznie. Tym razem jednak nie będę miał chyba czasu się z nikim spotkać.

W budynku Centralnego Ośrodka Doskonalenia Nauczycieli tłoczno. Okazuje się, że na spotkanie do Warszawy zaproszono nie tylko przedstawicieli wyróżnionych gazetek. Ilościowo naturalnie przeważa młodzież, nauczyciele i opiekunowie stanowią czwartą część przybyłych. Pierwsze powitanie jest nieoficjalne. Najpierw kierują nas do hotelu, gdzie mamy pozostawić w pokojach swoje rzeczy i zjeść obiad. Za trzy godziny mamy wrócić do CODN-u. Zostajemy zakwaterowani. Ja otrzymuję osobny pokój, chłopcy dostają dwójkę, Julka musi dołączyć do koleżanek z Lublina. W tej grupie układ jest odwrotny. Na szczęście wszyscy jesteśmy na jednym piętrze. Przed obiadem wszyscy gromadzą się jeszcze w moim pokoju.

– Nic nadzwyczajnego ten hotel – stwierdza Grzesiek.

– A w ilu hotelach byłeś? – drwi sobie z niego Wojtek.

– A mnie się tu podoba – mówi Julka.

– Może nie jest to nadzwyczajny hotel, w końcu dawniej był to po prostu Dom Turysty. Ma on jednak pewną szczególną zaletę.

– Jaką? – ciekawi się Grzegorz.

– Taką, że znajduje się w centrum stolicy.

– No, tak – zgadza się Grzesiek. – To może być ważne.

Po obiedzie z powrotem jesteśmy w CODN. Teraz już następuje powitanie oficjalne i wręczenie wyróżnień. Wyróżniono 9 gazetek na 1250 zgłoszonych do konkursu. To może szokować. Przedstawiciel jednej z fundacji wyczytuje po kolei nazwy wyróżnionych gazet. W końcu pada nazwa naszej gazetki. Moje dzieciaki na chwiejących się ze zdenerwowania nogach podchodzą po odbiór wyróżnienia. Nie dziwię się ich wzruszeniu. Moje serce też bije mocniej. Później jeszcze więcej wrażeń. Jesteśmy w centrum zainteresowania, okazuje się bowiem, że reprezentujemy bodaj najmniejszy ośrodek, a także i szkółkę, z której gazetka otrzymała wyróżnienie. Dzieciaki proszone są o udzielenie wywiadów, mnie natomiast koleżanki i koledzy pytają o przepis na sukces.

– Proszę pana, co my mamy mówić? – niepokoi się Julka.

– Przecież nie zrobiliśmy nic nadzwyczajnego – stwierdza Grzesiek.

– Po prostu pracowaliśmy dla siebie, własnej przyjemności – mówi Wojtek.

– Co prawda chcieliśmy, jeśli nie wygrać, to przynajmniej być zauważeni – przypomina sobie Grzesiek.

– Wiecie co? – pytam.

– Nie – odpowiada Grzesiek.

– Właśnie to wszystko mówcie. Bądźcie prawdziwi i wiarygodni. Tu nie trzeba się silić na górnolotne myśli i wyszukane zdania. Mówcie to, co pamiętacie, mówcie choćby o tym, co wychodziło wam dobrze, a z czym sobie nie radziliście, dopiero to będzie dla innych ciekawe. Zaciekawicie innych, jeśli powiecie, że gazetka była dynamiczna, a wasz zespół to żywi ludzie z krwi i kości, młodzi, ale ambitni ludzie.

– Tylko tyle... – zamyśla się Grzesiek.

– Jakie to proste – jak zwykle żartuje Wojtek.

Kiedy moje dzieciaki udzielają wywiadu dla Warszawskiego Ośrodka Telewizyjnego, oddalam się. Nie chcę ich dodatkowo stresować sobą i wpędzać w jeszcze większą tremę. Sam wdaję się natomiast w rozmowę z innymi opiekunami. Jesteśmy siebie nawzajem ciekawi. Kto jest skąd. Gdzie i jak mu się pracuje. Kiedy opowiadam, w jaki sposób znalazłem się w małej wiejskiej szkółce, do naszej grupy dyskutantów dołącza jeszcze jedna koleżanka.

– Gratuluję panu – zwraca się do mnie.

– Dziękuję – odpowiadam grzecznie, ale i ja, i moi rozmówcy jesteśmy zaskoczeni.

– Pan, zdaje się, nie wie, o co chodzi? – pyta, widząc moje zdziwienie.

– Szczerze powiedziawszy, nie wiem, bo wszyscy już sobie gratulowaliśmy sukcesów gazetek.

– Nie o to mi chodzi...

– Więc? – Jestem zaskoczony jeszcze bardziej.

– Wie pan, przysłuchiwałam się rozmowie pana podopiecznych z telewizją... Ma pan niezwykle inteligentnych uczniów.

– Dziękuję bardzo – wreszcie rozumiem, o co chodzi.

– To jednak nie wszystko...

Pytam koleżankę już tylko wzrokiem, a ona zwraca się do wszystkich zebranych.

– Trzeba państwu wiedzieć, że padło tam jeszcze jedno ważne zdanie – jako odpowiedź na pytanie dziennikarki kończącej rozmowę: „Czy coś jeszcze chcielibyście powiedzieć naszym słuchaczom na temat swojego sukcesu?". Oni spojrzeli po sobie i jeden z chłopców powiedział:

– Tak. Chcielibyśmy dodać, że swój sukces zawdzięczmy opiekunowi, który jest naszym wychowawcą, i czasem jest jak rodzony ojciec, czasem jak starszy brat, a czasem jak dobry kolega.

Na chwilę zapada cisza, a zaraz potem ktoś inicjuje brawa. Czuję, że robię się czerwony jak cegła ze znanej wszystkim piosenki. Nim zdążę cokolwiek powiedzieć, nadchodzą Moje Dzieciaki.

Po wieczorze pełnym emocji wracamy do hotelu. Moi chłopcy dość szybko zaprzyjaźniają się z koleżankami z Lublina. Julka, chcąc nie chcąc, poznaje też ich kolegę, natomiast mnie, niejako z urzędu, przypada znajomość z ich opiekunką.

Około godziny dwudziestej trzydzieści chłopcy wpadają na wspaniały pomysł, by pójść z dziewczynami na spacer po Warszawie. Ani ja, ani opiekunka dziewcząt nie chcemy się na to zgodzić. Jesteśmy jednak tak długo urabiani, że w końcu moja koleżanka zaczyna mięknąć.

– Zdajecie sobie sprawę z tego, która jest godzina? – pytam retorycznie.

– Nie jest tak późno, proszę pana – oświadcza mi Grzesiek.

– Jednak spacer po Warszawie to nie to samo, co spacerek po wsi. Zwłaszcza nocą – nie chcę się zgodzić.

– Zgódźmy się na godzinkę – proponuje moja koleżanka.

– Na pół – moje stanowisko jest bardziej radykalne.

– Proszę pana, przecież będzie nas sześcioro.

– Ale mi silna banda małolatów – kpię z nich sobie.

– Nic się nie stanie, przecież byle gdzie nie będziemy się włóczyć – zapewnia mnie Julka.

– Mam propozycję – oświadczam.

– Jaką? – Wszyscy są zaciekawieni.

– Pani i ja pójdziemy na spacer razem z wami, choćby na dwie godziny.

Po mojej propozycji zrazu zapada grobowa cisza. Pytam więc jeszcze raz:

– Nie chcecie?

– Nieeee... – Tym razem wszyscy są zgodni.

– Dlaczego?

– Ale pomysł, no wie pan... – Wojtek jest zdumiony.

– Przykro nam. Nie, to nie.

– To możemy pójść sami? – pytają z grupy z Lublina.

– Idźcie – ulegam wreszcie. Powrót najpóźniej o dwudziestej pierwszej trzydzieści. I spacerujecie tylko poznanymi dzisiaj trasami – narzucam warunki.

– Dobra! – zgadzają się wszyscy uradowani.

Wychodzą przed dwudziestą pierwszą, my tymczasem gawędzimy sobie przy herbatce. Ani się spostrzegamy, kiedy mija umówiona godzina, a kiedy się już spostrzegamy, jest za piętnaście dwudziesta druga. Zaczynamy się niepokoić.

– Niepotrzebnie się zgodziliśmy – stwierdza koleżanka z Lublina.

– Niepotrzebnie – przyznaję jej rację.

– Wprawdzie ufam moim dziewczynom – mówi koleżanka.

– A ja ufam moim chłopakom...

– Jednak oni się przecież wcale nie znają...

– I popisując się przed sobą, mogą nam spłatać jakiegoś figla...

Mnie natomiast tradycyjnie, jak zwykle w takich sytuacjach, nachodzą czarne myśli. „No, Mareczek! – myślę sobie. – Znów pakujesz się w kłopoty. Za chwilę nasze dzieci przyprowadzi do hotelu patrol policji i jutro wiadomość o tym obiegnie poranną warszawską prasę. Natomiast w telewizji informacja o wałęsających się nocą po mieście uczniach pozbawionych opieki pojawi się zaraz po wyemitowaniu przez WOT wywiadu z moją ekipą".

– Idę ich szukać! – stwierdzam.

– Ja też! – podrywa się koleżanka z Lublina.

I kiedy zbiegamy po schodach do wyjścia, w drzwiach zderzamy się niemal z naszymi dzieciakami. Odruchowo patrzę na zegarek. Jest 22.05.

– Co się stało? – pyta Grzegorz.

– To wy nam powiedzcie, co się stało – odpowiadam.

– Nic się nie stało – zdanie Grzegorza już znamy.

– O której mieliście wrócić? – pyta koleżanka z Lublina.

– No, trochę wcześniej – przyznaje jedna z jej dziewcząt.

– Chodźmy na górę – proponuję.

– Proszę pana, było tak fajnie – próbują tłumaczyć chłopcy po drodze.

– Tak naprawdę to trwało około godziny.

– Nie chce mi się o tym dziś rozmawiać – ucinam dyskusję. – Sprawiliście mi zawód i tyle.

Dzieciaki markotne odchodzą do swoich pokojów.

Nazajutrz przy śniadaniu starają się siadać blisko mnie.

– Przepraszamy za wczoraj – mówi Grzegorz.

– Gniewa się pan jeszcze? – pyta Wojtek.

– Dziś martwicie się o to, czy ja się gniewam, czy nie – stwierdzam. – Dlaczego wczoraj nie zatroszczyliście się o to, czy ja się o was martwię, czy też może mam was w nosie? – pytam.

Moje skarby opuszczają głowy.

– To się już nie powtórzy – zapewnia Julka.

– Właśnie tego od was oczekuję.

Chcę, żeby uśmiech powrócił na ich twarze, bo dzień, który się dla nas rozpoczyna, ma być radosny. Szybko się też takim staje. Dla mnie to także wielki dzień, ponieważ po raz pierwszy w życiu i jak dotąd ostatni mam okazję spotkać się i porozmawiać z jednym z najwybitniejszych polskich reżyserów Andrzejem Wajdą. Z dziennikarskiego punktu widzenia co chwila rodzą się tu sytuacje niezwykle atrakcyjne i mój zespół gromadzi przebogaty materiał na potrzeby kolejnego czy nawet kolejnych numerów gazetki. Wojtek uwija się z aparatem fotograficznym, jak umie najlepiej.

– Proszę pana, zrobić zdjęcie? – pyta co jakiś czas.

– Pamiętaj o możliwie najlepszych ujęciach – pouczam go. – Czekaj na najdogodniejsze okazje. Możesz zrobić jakieś fajne zdjęcie panu Wajdzie i jego żonie, kiedy przemawiają do zgromadzonych na sali, ale z naszego punktu widzenia najbardziej wartościowe będzie zdjęcie, które jeśli to się uda, zrobimy sobie razem z nimi.

– Proszę pana, zrobić zdjęcie panu Miecugowowi?

– Oczywiście. Ale nie takie, jakie może się ukazać w gazetach w całej Polsce.

– To jakie... – pyta Wojtek niepewnie.

– Takie, na którym będzie widać, że oto pan Grzegorz Miecugow pisze autograf właśnie dla naszej gazetki.

Dzieciaki próbują też zadać znakomitym gościom choćby kilka pytań.

– Proszę pana, czy mogę zapytać pana Bratkowskiego, jak został dziennikarzem? – pyta Julka.

– Oczywiście, że możesz, ale takie pytanie pan Stefan Bratkowski słyszał już setki razy, a odpowiedź na to pytanie publikowały dziesiątki gazet.

– To o co mam zapytać?

– O coś, co jest ważne dla nas. Dla ciebie, Grześka... Na przykład: jakiej rady udzieliłby dziewczynom czy chłopakom z prowincji, którzy chcą zostać dziennikarzami?

– Skąd mamy wiedzieć, o co już pytano, a o co nie? – pyta Grzegorz.

– Grzesiu, normalnie do wywiadów się przygotowujemy. Poznajemy życie i twórczość artysty, staramy się zdobyć materiał prasowy, radiowy czy telewizyjny, z którego się o tym dowiemy. Trzeba się też kierować logiką i nie pytać na przykład, jakie filmy ma twórca w swoim dotychczasowym dorobku, bo w ten sposób z pewnością go obrazimy. Dziś musicie po prostu uważnie słuchać, o co pytają inni, notować to, bo także ten materiał wam się przyda.

– A jeżeli ktoś zapyta o to, o co ja chcę zapytać?

– To się zdarza bardzo często. Zanotuj to. Na pewno chcesz zapytać o coś jeszcze...

Do domu wracamy pełni wrażeń. Dzieciaki już nie biegają po wagonach, nie przejawiają też większego zainteresowania Warsem. Za to buzie nie zamykają im się od opowiadania wrażeń, przypominają sobie sytuacje, poznane koleżanki i kolegów. W pewnym momencie postanawiam ich nawet uciszyć, nie jesteśmy przecież w przedziale sami. Jednak towarzyszące nam w podróży starsze małżeństwo oponuje.

– Ależ nie, daj pan spokój – powiada kobieta. – Są młodzi i cieszą się życiem. A jak się na nich patrzy, to i starszemu człowiekowi jakoś się robi weselej.

Tak nawiązuje się rozmowa. Dzieciaki z dumą opowiadają o swojej wyprawie, nagrodzie, pobycie w Warszawie. Starsza pani wyciąga z torby cukierki. Podróż mija jak z bicza strzelił. Ani się spostrzegamy, kiedy jesteśmy w Olsztynie. Starsi państwo zapraszają do siebie na herbatę, mieszkają niedaleko dworca. My do następnego pociągu rzeczywiście mamy jeszcze sporo czasu, więc po długich wahaniach decydujemy się przyjąć zaproszenie. Dopiero przy herbacie okazuje się, że nasi nowi znajomi to byli aktorzy teatru im. Stefana Jaracza. W tej sytuacji przychodzi mi do głowy pomysł, którego konsekwencje będą dla Grześka niezwykle obiecujące.

– Czy nie zgodzilibyście się państwo, żeby ten młody adept sztuki dziennikarskiej (wskazuję na Grześka) przeprowadził z Wami rozmowy?

Zaskoczenie odmalowuje się tak na twarzach gospodarzy, jak na buźce rzeczonego Grześka.

– Czemu nie – po krótkim zastanowieniu odpowiada gospodarz. – Proszę tylko objaśnić czemu by to miało służyć.

– Z państwa strony byłaby to po prostu uprzejmość – wyjaśniam. – Natomiast dla Grzegorza byłoby to pierwsze poważniejsze wyzwanie. Miałby możliwość przeprowadzenia wywiadu z prawdziwym aktorem, mógłby się sprawdzić, byłoby to niezwykłe ćwiczenie. Za państwa przyzwoleniem teksty te umieścilibyśmy naturalnie w naszej gazetce.

– Cóż, nasza sława nie sięga aż tak daleko – śmieje się gospodyni. – Skoro jednak temu młodzieńcowi miałoby to w czymkolwiek pomóc, nie mam nic przeciwko.

– No to jak, Grzesiek, przyjmujesz wyzwanie? – pytam.

– Ja bym chciał – Grzesiek nabiera rumieńców. – Ale ja przecież nie umiem.

– Chodzi o to, żebyś się naumiał.

– Słusznie – przytakuje mi gospodarz. – Pomożemy ci. Pan zresztą zapewne też – zwraca się do mnie.

– To oczywiste – odpowiadam.

– Powiem coś jeszcze – dodaje. – Mam przyjaciół w „Dzienniku Pojezierza" i „Gazecie Olsztyńskiej". Kto wie, czy jeśli się dobrze spiszesz, młody człowieku, nie uda nam się zamieścić tam twoich tekstów w ramach debiutów.

– Ale ja... – Grzegorz zamierzał coś pewnie powiedzieć, zagłuszają go jednak Julka i Wojtek.

Gospodarze interesują się także planami na przyszłość tych dwojga. Żegnając się, umawiamy się z nimi, że kiedy będziemy w szkole organizować następne przedstawienie, z przyjemnością zaprosimy naszych nowych, sympatycznych znajomych.

Gdy dojeżdżamy do naszej wsi, nie spodziewamy się, że ktoś będzie na nas czekał. Okazuje się, że wypatruje nas wcale niemała grupka młodzieży. Jest Kaśka, Marcin, Artur i Olka, jest także kilkoro innych dzieciaków, a wszyscy naraz chcą, żeby im wszystko opowiedzieć. Robi się więc rychło niezły harmider. Tak defilujemy od stacji przez całą niemal wieś i gdyby nie późna pora roku, a także dnia, zwróciłyby na nas uwagę pewnie nie tylko wiejskie kundle.

Po powrocie do szkoły dzieciaki nadrabiają drobne zaległości, ale biorą się także ostro do roboty przy nowym numerze gazetki. Grzegorz wraz z Wojtkiem i Julką piszą sprawozdanie z pobytu w Warszawie. Po tygodniu intensywnej pracy dostaję do rąk gotowy tekst.

Redakcja Szkolnej Gazetki w Warszawie

Od 7 do 9 grudnia w Warszawie odbywało się spotkanie nagrodzonych redakcji gazet szkolnych, wyłonionych spośród uczestników konkursu na najlepsze czasopisma szkolne. Wśród 35 redakcji zaproszonych do Warszawy znaleźliśmy się również my. W skład trzyosobowej delegacji weszli: Grzegorz, Wojtek, Julka. Opiekę nad naszą „wspaniałą" trójką sprawował pan Marek.

Rokrocznie obie fundacje organizują konkurs na najlepsze gazety szkolne. Ponieważ w ubiegłym roku rozpoczęliśmy wydawanie naszego pisemka, postanowiliśmy wziąć udział w konkursie i wysłaliśmy wszystkie wydane w ubiegłym roku numery.

Na miejscu usłyszeliśmy bardzo miłą wiadomość. Jury konkursu postanowiło przyznać nagrody dziewięciu pismom, wśród których znalazło się także nasze. Nie spodziewaliśmy się tak olbrzymiego sukcesu. Niewątpliwie było to dla nas wielkie przeżycie, a zarazem radość. Jednak najbardziej tym faktem był podniecony nasz opiekun. Debiut, a zarazem wygrana. Czyż można oczekiwać czegoś więcej od życia??? Natychmiast poproszono nas o udzielenie wywiadu dla Warszawskiego Ośrodka Telewizyjnego, „Głosu Nauczycielskiego", „Gazety Wyborczej", a ponieważ nie byliśmy do tego przygotowani, wcale nie poszło nam tak gładko i mieliśmy okazję uświadomić sobie, czym tak naprawdę jest trema.

Po rozpatrzeniu wniosków zostały przyznane również dotacje na rozwój działalności dziennikarskiej młodzieży.

Uroczystość odbywała się w miłej i przyjemnej atmosferze. Pierwszego dnia spodziewano się wielu znakomitych osobistości. Spośród nich pojawili się Stefan Bratkowski i Grzegorz Miecugow. Niestety na spotkanie nie przybyła Monika Olejnik. Wywołało to pewne rozczarowanie. Współtwórca radiowej trójki opowiedział o swojej pracy w radiu i telewizji. Natomiast jeden z największych autorytetów polskiego dziennikarstwa mówił o złych i dobrych stronach wykonywania tego zawodu. Gdy dowiedział się, skąd przyjechaliśmy, bardzo się ucieszył i powiedział, że w latach powojennych spędził w naszych stronach wiele czasu. Od razu do akcji wkroczyli łowcy autografów, wierzcie mi, urządzili sobie prawdziwe Eldorado. Również my zdobyliśmy autografy panów Bratkowskiego i Miecugowa. Ciekawe jest to, że nikt nie chciał opuścić sali w czasie przerwy na obiad, tak było duże zainteresowanie gośćmi. Z tego właśnie wynikły pewne rozbieżności czasowe.

Restauracja „U aktorów", w której jadaliśmy, była bardzo elegancka, jedzenie wyśmienite, a obsługa miła i sympatyczna (przyznam się, że pierwszy raz w życiu jad-

łem zupę w filiżance, na którą nasz opiekun z uporem maniaka mówił „bulionówka", a porcje były w sam raz dla redaktorek. Pisząc krótko: styl europejski).

Po koniec dnia odbyły się warsztaty redakcyjne i dziennikarskie prowadzone przez panią Halinę Bortnowską. Wszyscy zmęczeni intensywną pracą wrócili do hotelu Harenda. Na początku wyglądał nieciekawie, jednak kiedy weszliśmy do środka, nasze obawy zostały rozwiane. Przydzielono nam dwa pokoje, całkiem wygodne i dość komfortowe, z telewizorem, prysznicem (spod którego Wojtka S. nie można było wygonić) i widokiem na Krakowskie Przedmieście.

Kolejny dzień spotkań przyniósł miłe zaskoczenie, miał się bowiem pojawić niezapowiadany wcześniej sławny polski reżyser Andrzej Wajda wraz z małżonką Krystyną Zachwatowicz. Niewątpliwie to właśnie ich wystąpienie stanowiło gwóźdź programu. W czasie konferencji prasowej mówili między innymi o przeobrażeniach w polskiej kinematografii, w teatrze i sztuce w ogóle, o swoich dotychczasowych osiągnięciach i planach na przyszłość. Twórca „Człowieka z marmuru", skądinąd pan niezwykle skromny i przystępny, powiedział, że za swoje największe osiągnięcie filmowe uważa obrazy „Lotna" i „Kanał", a pani Krystyna przyznała się, że ciągle jeszcze marzy jej się ogromna inscenizacja „Wesela" Wyspiańskiego. Nasza redakcja uwieczniła moment spotkania z wybitnymi twórcami polskiej kultury na wspólnej fotografii.

Tego samego dnia spotkaliśmy się również z warszawskim rzecznikiem praw ucznia Lucyną Bojarską. Dyskutowano o problemach społeczności uczniowskiej. Była poruszana sprawa łamania praw ucznia przez szkołę, a w szczególności przez nauczycieli. Wszyscy chcieli się dowiedzieć, kiedy powstaną takie przepisy, które ostatecznie będą regulować stosunki uczeń – szkoła, uczeń – nauczyciel.

W ostatnim dniu wizyty dominowała informatyka. Obecnie to właśnie dostęp do techniki komputerowej decyduje w dużej mierze o sukcesie gazetek szkolnych czy też środowiskowych. Każdy ze zniecierpliwieniem oczekiwał swojej kolejki na zajęcie wygodnego miejsca przed komputerem, aby poznać tajniki Internetu.

Podczas całej imprezy zawiązywały się liczne przyjaźnie i sympatie. Delegacje poznawały się nawzajem (niekiedy trwało to do bardzo późnych godzin nocnych). Na szczęście opiekunowie przymykali na to oko. Właśnie za to należą im się podziękowania. Czasami takie spotkania kończyły się rozterkami miłosnymi, na przykład kolega z redakcji poznał przeuroczą blondynkę Kasię!!! Nasz opiekun także interesował się (?) pewną panią polonistką. Czyżby mały romansik? Na początku był trochę skrępowany, ale po interwencji przedstawicieli redakcji (Grzegorza X., Wojciecha Y., Julii Z.) wszystko fajnie się skończyło. Trema została przezwyciężona.

Szkoda tylko, że wszystko to trwało tak krótko. Trzeba przyznać, że impreza została zorganizowana z dużym rozmachem. Podziękowania należą się obu fundacjom (koszty podróży, noclegi, obiady zostały w całości przez nie pokryte). Mam nadzieję, że spotkania o takim charakterze będą częściej organizowane. Trzymajcie tak dalej!!!

Starajcie się, aby dzisiejsza młodzież mogła poznawać tajniki dziennikarstwa właśnie przy takich okazjach.

A sama Warszawa? Nie prezentowała się zbyt atrakcyjnie – brzydka i ponura. Być może to zima bez śniegu. Raziło skandaliczne, nazbyt wulgarne zachowanie młodych mieszkańców stolicy. Nic dziwnego, że starsi boją się wychodzić na ulicę po zmierzchu. A tak na marginesie: kiedy spacerowaliśmy po mieście wieczorem, nie widzieliśmy żadnego stróża prawa. Być może i oni się boją... tak niedawno odbywały się marsze przeciwko przemocy.

I sprawa ostatnia. Wszystkie wystąpienia, wypowiedzi gości miały ze sobą coś wspólnego. Kiedy się nad tym zastanowiliśmy, doszliśmy do wniosku, że ich wspólnym mianownikiem było przekonanie o nadejściu nowych czasów, kiedy szkolne dziennikarstwo może się swobodnie rozwijać, że wcale nie tak dawno było to nie do pomyślenia, że wszyscy, którzy się w Warszawie spotkaliśmy, z wolności prasy, także szkolnej, i wolności własnej, robimy właściwy użytek. Tak nas pochwalono, a przyznam, że było to całkiem miłe...

Czytam artykuł Grześka i w pierwszej chwili ogarnia mnie złość. No, co ten głuptas o mnie nawypisywał! – myślę sobie. – Co sobie o mnie pomyślą inni nauczyciele, kiedy to wszystko przeczytają!

Wołam Grześka.

– Grzegorz! Chcesz, żeby wszyscy pomyśleli, że zamiast opiekować się waszą grupą, bawiłem się w jakieś flirty?! – Jestem na chłopaka trochę obrażony.

– Proszę pana, przecież to tylko żarty, możemy to zaraz zmienić – Grzegorz wydaje się zmieszany.

– Ale żarty robicie sobie moim kosztem – stwierdzam. – Czy to jest akurat najlepszy sposób?

– Ale ani ja, ani nikt z nas tak nie pomyślał – broni się Grzesiek. – Byliśmy pewni, że potraktuje to pan z przymrużeniem oka.

– Ja tak, ale inni Bóg wie, co sobie pomyślą, a czego nie wiedzą, dopowiedzą.

– No, o tym nie pomyślałem – przyznaje się Grzesiek. – Ale przecież wszyscy pana znają, nikt sobie niczego złego nie pomyśli.

– Wątpię, abyś miał rację – jestem już spokojniejszy. – Myślisz, że ja mam tylko przyjaciół.

– Dlaczego miałby mieć pan wrogów? Z jakiego powodu? – Grzesiek jest zaskoczony.

– Dlatego, że żyję i coś robię. To już wystarczy, żeby coś tam się innym nie podobało.

– Zawsze pan mówił, że trzeba robić swoje, wierzyć w to, co się robi i nie oglądać na innych... – te słowa wypowiada nieco ciszej.

– Rzeczywiście, tak zwykłem mówić. – Zamyśliłem się.

Co z tego, że się narażę na złośliwości? Mam się bać wszystkich i wszystkiego? Trzeba umieć śmiać się nie tylko z innych, ale także z siebie. Grzegorz ma rację. Nie daję nikomu powodów do krytyki. Ale jeśli ludzie będą chcieli przypiąć mi jakąś łatkę, zrobią to bez względu na wszystko. Ostatecznie to dzieciakom mam służyć za wzór i przykład.

– Dobra, Grzegorz, przekonałeś mnie. – Zmieniam nagle zdanie.

– Co? – Chłopak jest zaskoczony.

– Wycofuję zastrzeżenia, co do treści tekstu.

– Naprawdę? – Grzesiek robi wielkie oczy.

– Naprawdę. Niech każdy sobie myśli, co chce. Jeśli się ktoś nie zna na żartach, to trudno.

– Super! – Grzesiek jest uradowany. – My przecież też z siebie żartujemy... Zauważył pan...

– Jak jest, tak jest, i niech tak już zostanie.

◇ ◇ ◇

Dzięki nagrodzie pieniężnej, którą otrzymujemy, w szkole pojawia się pierwszy komputer. Udaje się wygospodarować w budynku niewielkie pomieszczenie na piętrze na ten wymarzony przez nas sprzęt, ale także na oficjalną siedzibę redakcji. Do moich dziennikarzy szacunku nabiera nie tylko cała szkoła, z estymą odnosi się do nich cała wieś. Tym bardziej że o naszym sukcesie pisze również „Gazeta Olsztyńska". Redaktor tejże gazety specjalnie przyjeżdża do wsi i robi wywiad zarówno ze mną, jak i z moimi dzieciakami. Pozujemy do zdjęcia, które następnie będzie oglądać cała wieś, cała gmina, rejon, wreszcie województwo. Gdy ukazuje się artykuł, nakład gazety rozchodzi się we wsi jak świeże bułeczki, niektórzy więc, żeby mieć na pamiątkę egzemplarz także dla siebie, śpieszą do pobliskiego miasteczka. Cały ten szum zaczyna mnie już jednak powoli męczyć. Trzeba umieć widzieć, że nie wszyscy patrzą na to, co się wokół dzieje, z wielką życzliwością. Muszę czuwać, by dzieciaki nie zaniedbywały lekcji, tylko czekać bowiem, gdy wystąpi ktoś z zarzutem: robią wszystko, tylko się nie uczą. Okazuje się, że Grzesiek jest zagrożony dwójką z matematyki, a Kaśka z języka rosyjskiego. U innych aż tak źle nie jest, ale samych piątek też nikt nie ma. Postanawiam, że poprawa ocen na półrocze staje się dla nas sprawą priorytetową. Organizujemy pomoc koleżeńską. Z językiem polskim problemów nie ma, zastanawiamy się nad innymi przedmiotami. Zbieram dzienniki i sprawdzam oceny.

– Wojtek! – zwracam się do chłopaka. – Ty masz najlepsze oceny z matematyki.

– W klasie? – Wojtek jest zdziwiony.

– Nie. Ze wszystkich tu obecnych – odpowiadam. – Ale ty przecież nie pomożesz Grześkowi z materiałem z ósmej klasy...

– No, chyba nie...

– Z kolei ty, Julka, masz najlepsze stopnie z rosyjskiego. No, ale przecież nie pomożesz Kaśce, która jest w ósmej klasie.

– Niekoniecznie – stwierdza Julka. – Mogę spróbować.

– No dobrze, ona przecież nie musi zaliczyć semestru na piątkę – poddaję się. – Trzeba będzie jednak wziąć do pomocy także kogoś jeszcze, zwłaszcza z matematyki. To się przyda i Marcinowi. Widzę, że niezły z matematyki jest Maciek Jarecki... Masz do niego zaufanie? – pytam Grzegorza.

– Zaufanie? – Grzesiek zdaje się nie rozumieć, o co mi chodzi.

– To takie egzotyczne słowo? – Z kolei ja jestem zdumiony. – Chodzi mi o to, czy jeśli zwrócę się do niego o pomoc, to czy będziesz chciał z nim pracować...

– Nie no, jest w porządku...

– Wobec tego jesteśmy umówieni. Zabieramy się za robotę jeszcze dzisiaj.

– Co mamy robić? – Grzesiek jest zaniepokojony.

– Dziś praca indywidualna. Idziecie do domów, pożyczacie od koleżanek czy kolegów zeszyty, uzupełniacie wszystkie brakujące tematy, jutro musimy wiedzieć, nad czym trzeba pracować. Tylko przepisujcie starannie, bez pośpiechu, pamiętając, że zeszyty będziecie mieli oceniane.

Na drugi dzień rozmawiam z dyrektorem i dowiaduję się, z jakiego materiału musi przygotować się Grzesiek, żeby poprawić dwójkę. Chcę wiedzieć tak na wszelki wypadek, żeby się nie okazało, że chłopcy coś pomieszają.

– Maciek! – zwracam się do specjalisty od matematyki z ósmej klasy. – Chciałbym, żebyś pomógł chłopakom poprawić oceny.

– Chodzi o Grześka?

– Tak. Ale także o Marcina. Poświęcisz trochę czasu?

– Nie ma sprawy... Kiedy? – pyta Maciek.

– Choćby dziś po lekcjach... Do końca semestru zbyt wiele czasu nie mamy...

Po lekcjach dokonujemy okupacji szkoły. Szybko okazuje się, że w jednej klasie pracować nie da rady. Dziewczyny z rosyjskim zostają w naszej klasie, chłopcy z matematyką idą do innej. Przekonuję się, że Julka i Kaśka radzą sobie zupełnie dobrze. Tu mogę mieć coś do powiedzenia. Rosyjski jako tako przecież znam. Kiedy jednak zaglądam do chłopców, sytuacja nie przedstawia się zbyt różowo... Mam wrażenie, że Maćkowi brakuje cierpliwości.

– W czym problem? – pytam.

– Proszę pana, on nic nie rozumie – skarży się Maciek.

– Bo on tak tłumaczy – ripostuje Grzegorz.

– No dobra – przysiadam się. – Mówcie, o co chodzi.

Po chwili tkwię po uszy w matematycznych działaniach i choć nie znoszę matematyki, usiłuję wraz z Grzegorzem zrozumieć, co chce nam wyjaśnić Maciek, z Maćkiem zaś wyłożyć Grześkowi to, co ten zrozumieć winien.

– No, niech pan posłucha – zwraca się do mnie Maciek. – Czego tu można nie rozumieć? I daje mi wykład z trygonometrii, a ja wytrzeszczam oczy i uszu nadstawiam, bo przecież chcę wykazać dobrą wolę wobec nauczyciela, który się dwoi i troi, by podzielić się swą cenną wiedzą.

Wydaje się, że poziomem wiedzy dorównuję Grzegorzowi, więc rola Maćka nie jest wcale łatwa. W końcu coś tam zaczynam rozumieć, kojarzyć sprawy i wszystko zaczyna trzymać się kupy. Z emocji robię się czerwony po uszy, Maćka zaś oblewają siódme poty. W końcu Grzesiek się niecierpliwi.

– Przepraszam, ale to chyba ja mam poprawić dwójkę... – zauważa z przekąsem.

Działa to na nas jak kubeł zimnej wody, bo istotnie, trochę się jakby zapomnieliśmy.

– Rzeczywiście, Grzesiu, masz rację – przyznaję. – Ale teraz i ja może będę w stanie ci coś pomóc.

Po chwili znów wdajemy się w zagmatwane działania, nasza uwaga jest tym tak zaprzątnięta, że nie zauważamy nawet, kiedy wchodzą dziewczyny. Te jakiś czas celowo się nie ujawniają i uważnie się nam przysłuchują. Wreszcie Kaśka nie wytrzymuje.

– Maciek, kto tu się właściwie uczy? – pyta uszczypliwie.

– Wszyscy się uczymy – filozoficznie odpowiada Maciek.

– Właśnie – dodaję. – Nauki nigdy za wiele, moja pani. Może macie ochotę się przyłączyć? – pytam, co nieco się odgryzając.

– O nie! – protestuje Kaśka. – Na razie mam dość rosyjskiego.

– A może po rosyjsku? – żartuje sobie Grzesiek.

– Ty się naucz matematyki po polsku, tak będzie najlepiej. – Kaśka jest bezlitosna. – My na dziś już kończymy – zwraca się do mnie.

– No dobrze – zgadzam się. – Jutro sprawdzę, czego się nauczyłyście. My też będziemy niedługo kończyć.

Po czterech godzinach uświadamiamy sobie, że o ile godzinę temu Grześkowi coś już w głowie zaczynało świtać, obecnie znowu zdaje się nic nie rozumieć. Jest to dla nas sygnał, że czas odpocząć.

Grożące dzieciakom dwójki i czas potrzebny na naukę, by je poprawić, krzyżują nam plany. Zbliża się Boże Narodzenie, na które mieliśmy przygotować przedstawienie – jasełka, ale nie takie tradycyjne, zwykłe, miało to być coś oryginalnego. Dochodzę do wniosku, że muszę przygotować scenariusz, a potem z uczniami przemyślimy szczegóły. Na przedstawienie mieli być zaproszeni nasi znajomi aktorzy z Olsztyna, a Grzesiek miał przygotować wywiady z nimi. Uświadamiam sobie, że musimy zintensyfikować działania.

Dzwonię do Olsztyna, umawiam się z aktorską parą na sobotę.

– Grzegorz, musisz do piątku nauczyć się możliwie najwięcej – sugeruję chłopakowi.

– Dlaczego akurat do piątku? – Grzesiek jest zdziwiony.

– Masz zamiar pierwszy semestr poprawiać dopiero w drugim?

– No, nie, ale jest jeszcze trochę czasu...

– Tylko teoretycznie, Grześ...

– Dlaczego?

– Zapomniałeś o swoim artykule?

– No, nie, ale na to też jest jeszcze czas...

– Teoretycznie jest. Zaprosiliśmy znajomych do siebie na bożonarodzeniowe przedstawienie. Byłoby fajnie, gdybyśmy mieli wcześniej napisane teksty.

– No, byłoby...

– Dzwoniłem do Olsztyna i umówiłem się na sobotę.

– Teraz, na tę sobotę? – Grzesiek jest zaskoczony.

– Tak. Tej sprawy nie trzeba odkładać.

– No, niby nie...

– Mam nadzieję, że nie masz innych planów na sobotę...

– Nie, nie mam... Tylko...

– Co takiego?

– Ja nie mam pojęcia, jak się do tego zabrać...

– W piątek po lekcjach trzeba się będzie przygotować do rozmowy.

– Byłoby dobrze, bo inaczej będzie cienko...

W piątek o siedemnastej spotykamy się u mnie. Mam przygotowanych kilka czasopism, w których opublikowane są rozmowy ze znanymi aktorami. Na początek przeglądamy te teksty, zastanawiamy się nad pytaniami, rozważamy, które dałyby się zastosować w naszej sytuacji. Dochodzimy do wniosku, że bardzo nieliczne.

– Musimy skoncentrować się na ścisłym związku aktorskiego małżeństwa z teatrem w Olsztynie – wyrażam swoje zdanie.

– No właśnie – przyznaje Grzesiek. – Jak tu trafili... dlaczego tu pozostali...

– Będą to tematy interesujące regionalnego czytelnika – zgadzam się. – A przecież nie piszesz do gazety ogólnopolskiej.

– No i jeszcze pytania do naszej gazetki...

– Tak, tak. Zapisuj wszystkie, które przychodzą nam do głowy, potem je uporządkujemy...

– Szkoda, że nie robimy programu telewizyjnego, można by wtedy było rozmawiać z obojgiem naraz... – Grzesiek robi się odkrywczy...

– Będziemy rozmawiać z obojgiem jednocześnie... – przypominam mu.
– No tak, ale odpowiedzi trzeba będzie zapisywać oddzielnie...
– Tak czy inaczej nad spisanym materiałem trzeba będzie później popracować. A potem jeszcze dać teksty do autoryzacji.
– Wiem, w przypadku wywiadu to jest konieczne.
– Zwłaszcza w przypadku wywiadu.
– Od czego zaczniemy?
– Zaproponuj coś... – Nie chcę wyręczać Grzegorza.
– Może od pytania, jak rozpoczęła się ich przygoda z teatrem... Kiedy postanowili zostać aktorami...
– Całkiem dobrze... Czy zrealizowali swoje marzenia, czy może to był czysty przypadek...
– A potem jaka była ich droga, studia, zdobywanie wykształcenia...
– Doświadczenia...
– Dobrze nam idzie, prawda? – śmieje się Grzesiek.
– Sam widzisz, a miało być tak strasznie...
– Nie jest... – przyznaje chłopak.
– A zatem damy radę, Grzesiek?
– Damy... – śmieje się młody adept dziennikarstwa.

Pracujemy jeszcze dobre dwie godziny. Rano natomiast spotykamy się na dworcu i wyjeżdżamy pociągiem do Olsztyna. Grzesiek jest podekscytowany. Ciągle jeszcze analizuje pytania. Podkreśla, że na potrzeby naszej gazetki musi zapytać, jak widzą szanse młodych ludzi z prowincji, którzy marzą o tym, by zostać aktorami.

Około dziewiątej jesteśmy u państwa Joannickich. Cieszę się, że gospodarze podchodzą do sprawy z całkowitą powagą. Grzesiek może się czuć jak prawdziwy dziennikarz. Pytania chłopca aktorzy traktują z uwagą i starają się wyczerpująco odpowiadać. Staram się nawet nie wtrącać, by nie krępować Grześka, zwłaszcza że widzę, iż mają ze sobą doskonały kontakt. Grzegorz zapisuje kartka po kartce, a ponieważ się spieszy, wychodzą mu takie bazgroły, że obawiam się, czy da radę to potem odczytać.

Nad początkowym chaosem wkrótce zaczyna panować porządek, małżonkowie bowiem odpowiadają na to samo pytanie jedno po drugim. Najpierw wspominają czasy, kiedy się jeszcze nie znali, dość szybko wszakże pojawia się wątek wspólny, czas studiów, od kiedy są nieprzerwanie już razem. Nawet nie wiem, kiedy mijają dwie godziny, czyli czas, jakim możemy bezpiecznie dysponować. I to właśnie ja muszę czuwać, abyśmy zdążyli na pociąg powrotny, bo gospodarze i Grzesiek zupełnie zapamiętują się w tym, co robią. Kiedy delikatnie daję wszystkim do zrozumienia, że powinniśmy powoli kończyć, jeżeli mamy zdążyć na pociąg o dwunastej, wszyscy troje są zdumieni i wszczynają protest.

– Proszę pana, jesteśmy dopiero w połowie – informuje mnie Grzesiek.

– Macie przecież późniejszy pociąg – bardziej stwierdza niż pyta Jaonnicki.

– Mamy... – odpowiadam niepewnie, patrząc na panią domu, a ta, jakby tylko na to czekając, kwituje:

– Więc pojedziecie następnym.

– Ale... – próbuję protestować, lecz gospodyni natychmiast mi przerywa.

– Nie ma żadnego „ale". Zaraz zastanowimy się, co by tu zrobić na obiad, i pojedziecie pociągiem późniejszym.

– Czy ja tu mam jeszcze coś do powiedzenia? – próbuję żartować.

– Chyba raczej nie – śmieje się Joannicki.

– Wobec tego, że i dosłownie, i w przenośni mam tu najmniej do powiedzenia, pójdę do sklepu, by zrobić zakupy na, nazwijmy to, drugie śniadanie – proponuję, bo i tak nic tu po mnie.

– Pan jest bardzo dobry w kuchni – wyrywa się przez nikogo nieproszony Grzesiek.

– Co to znaczy? – dopytuje się pani Joannicka.

– Nic – stwierdzam. – Ten młody człowiek plecie głupstwa – wyjaśniam. – Pójdę kupić jakiegoś kurczaka z rożna czy coś w tym stylu, co jest gotowe.

– Żadne głupstwa! – broni się Grzegorz. – Pan robi bardzo dobrą pizzę i spaghetti...

– Proszę go nie słuchać – jestem trochę zły na Grześka i usiłuję odwrócić od siebie uwagę gospodarzy, ale wydaje się, że jest już za późno.

– Chętnie oddam panu kuchnię do dyspozycji – oferuje się gospodyni. Jeśli tylko zechciałby pan którąś ze swoich kulinarnych umiejętności nam zaprezentować...

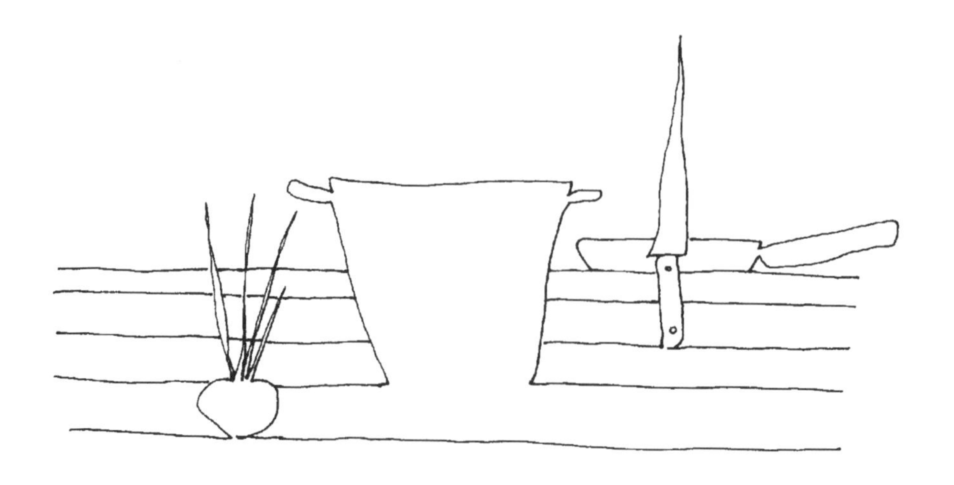

Od słowa do słowa sprawa zmierza więc w niebezpiecznym dla mnie kierunku i ostatecznie zgadzam się, że zrobię to, co zrobić najprościej, czyli własną wersję ziemniaczanej zapiekanki. Okazuje się, że po zakupy wychodzić zupełnie nie ma potrzeby. Wszystko jest w domu. No i mam za swoje. Wdziewając fartuszek gospodyni, obiecuję sobie, że jeszcze w drodze powrotnej dokonam mordu na Grzegorzu, w najlepszym zaś razie, jeśli w pociągu miałoby być zbyt wielu świadków, uduszę go na stacji w miejscowości Dębiny, jak tylko wysiądziemy z pociągu. Tymczasem biorę się za gary. Gotuję kilkanaście ziemniaków w mundurkach, kroję w kosteczkę wędlinę i cebulę, kroję w plastry żółty ser i wybijam na głęboki talerz kilka jaj. Ugotowane i przestudzone ziemniaki obieram i również kroję w kostkę. Wszystkie składniki po delikatnym podsmażeniu łączę ze sobą w żaroodpornym naczyniu, dodaję, mieszając, jaja i przyprawiam dość ostro do smaku przyprawami i ketchupem. Zapiekam w rozgrzanym piekarniku po uprzednim nakryciu wszystkiego plastrami żółtego sera. Po godzinie danie jest gotowe, musi jeszcze chwilę przestygnąć, bo dopiero wtedy daje się dzielić na porcje i się nie rozpada. Ostatecznie zasiadamy do stołu nieco po trzynastej.

– Muszę poprosić pana o przepis na tę zapiekankę – stwierdza gospodyni.

– Czyżby to pani smakowało? – śmieję się.

– Bardzo dobre, prawda? – wyrywa się Grzegorz.

– Grzesiu, ty już dość mi się dzisiaj naraziłeś – rzucam w stronę Grześka groźne spojrzenie.

– Czemu? – protestuje Joannicki. – Dzięki niemu spróbowaliśmy czegoś nowego. – To naprawdę wyśmienite.

– Państwo jesteście zbyt uprzejmi – staram się być skromny. – Nie ma w tym nic nadzwyczajnego.

– To, co proste, bardzo często jest najlepsze – śmieje się gospodyni. – Nie wypuszczę pana bez przepisu.

Po posiłku aktorzy i dziennikarz pracują jeszcze godzinkę. Gospodyni nie przychodzi na szczęście do głowy, żeby kazać mi zmywać gary, bo chyba by mnie coś trafiło. Tej czynności szczerze nienawidzę. Wreszcie, kiedy robocza wersja wywiadu jest już gotowa, wyruszamy około piętnastej na pociąg.

Kiedy siedzimy w przedziale pociągu, wypominam Grześkowi.

– Co ci przyszło do głowy z tą kuchnią?

– Przepraszam. Tak mi się jakoś wyrwało – tłumaczy się Grzegorz.

– Wyrwało, wyrwało – przedrzeźniam. – No i co narobiłeś?

– No co? Zapiekanka była znakomita.

– Znakomita, znakomita – przedrzeźniam go nadal. – Uprzedzam cię lojalnie, że zemszczę się za to w chwili, kiedy najmniej się będziesz tego spodziewał – ostrzegam, a słowa z reguły dotrzymuję.

◇ ◇ ◇

Tymczasem przygotowuję się do przedstawienia na Boże Narodzenie. Czuję w głowie kompletną pustkę. Rodzą się w niej różne pomysły, ale z żadnego nie jestem zadowolony. Wreszcie decyduję się na jakąś dostosowaną do naszych miejscowych warunków przeróbkę *Opowieści wigilijnej* K. Dickensa. Tylko kto zechce zagrać Scrooge'a... Ani chybi nikt i pewnie ja będę musiał wcielić się w tę niesympatyczną postać. Tylko co ten Scrooge ma reprezentować, kim on w tej wsi ma być, żeby był tutaj swojski i autentyczny. Miałby być chytrym wujem? Nie, to byłoby nieoryginalne. A może chciwym bratem? Ten brat musiałby być wystarczająco stary, aby go śmierć miała zamiar zabierać z tego świata. Może więc skąpym wobec dzieci ojcem, który trwoni majątek na przyjemności od czasu, kiedy odeszła żona, pozostawiając na jego pastwę czworo dzieci. Tak. To chyba będzie najlepsze rozwiązanie, zwłaszcza że znamy takie przypadki z życia. Ustalam wobec tego, że będą to dwie córki i dwóch synów. Zakładam, że jedna z córek jest już mężatką, a jeden z synów żonaty. Córka wyszła za mąż za dobrego, lecz biednego chłopaka z sąsiedniej wsi, syn poszedł mieszkać do teściów, u których również się nie przelewa. Jasny gwint! Zaczynam się reflektować, jeszcze trochę i wyjdzie mi scenariusz jak w *Chłopach* Reymonta. Tu trzeba więcej dramatyzmu. Może więc niech córka niespodziewanie zachoruje na białaczkę, z kolei syn niech ma wymagającą skomplikowanej operacji nóg siedmioletnią córeczkę. Dwoje pozostałych dzieci ciężko pracuje u bogatego ojca. Albo nie. Pracuje córka, a syn postanawia wyjechać w poszukiwaniu lepszego losu na Śląsk. Tam podejmuje ciężką pracę w kopalni. Reszta będzie już oczywista. Ojciec w niczym nie pomaga dzieciom, przeciwnie, wykorzystuje ich pracę, sam zaś hula z wątpliwej reputacji kobietami, wydając na rozrywki wszystkie pieniądze. Ponieważ nie jest już najmłodszy, w końcu dopada go ciężka choroba. W Wigilię Bożego Narodzenia nie ma przy nim nikogo. Córka przygotowuje wszystko, czego mu potrzeba, a potem spotyka się z resztą rodzeństwa i później razem udają się na pasterkę. Wtedy dane jest mu spojrzeć na swoje życie z dystansu, otwierają mu się oczy i postanawia naprawić własne błędy.

Kiedy przedstawiam projekt dzieciakom, nikt nie jest zachwycony. Humory poprawiają im się nieco, gdy ujawniam, że poświęcę się zagrać Skąpca. Pozostaje kwestia dogrania szczegółów. Jest do obsadzenia kilka ról. Najmłodszego syna, tego, co wyjedzie na Śląsk, zagra Wojtek. Ciężko pracującą na gospodarce ojca córkę zagra Kaśka. Rola córki chorej na białaczkę przypada w udziale Julce, a biednie ożenionym synem będzie Marcin. Żoną Marcina na czas prób i występu zostanie Olka, natomiast Rafał wcieli się w postać męża Julki. Chorą córeczkę zgadza się zagrać Elka, a kilkoro statystów, w tym kobiety, z którymi zadawał się Scrooge, oraz jego umierającą żonę jakoś sobie dobierzemy. Bodaj najważniejsza rola przypada jednak Grześkowi. Będzie on narratorem, czyli będzie mieć do powiedzenia najwięcej i najwięcej czasu spędzi na scenie. Nie musi się jednak niczego uczyć na pamięć, może zaglądać w notatki, może też do woli improwizować. Najpierw jednak musi opracować artykuły do gazety i do szkolnej gazetki, niewątpliwie jest to dla niego wielki sprawdzian. Jeśli poradzi sobie z tym wszystkim, mogę być pewny, że później podoła w szkole średniej i sprosta wszelkim wymaganiom na studiach. Kiedy Grzegorz, siedząc przy komputerze, dopracowuje wywiady, reszta zajmuje się przygotowaniem dekoracji oraz kostiumów.

– Gotowe! – któregoś dnia z wypiekami na twarzy oznajmia Grzegorz.

– Wobec tego siadajmy do komputera – stwierdzam.

Czytam uważnie oba teksty, ale ich nie koryguję. Od razu zwracam uwagę tylko na błędy ortograficzne, które poprawiamy razem, a które na szczęście występują nielicznie. Inne błędy, wyrazowe bądź stylistyczne, wynotowuję sobie, ponieważ będziemy je szczegółowo omawiać. Ale ostatecznie i tych ma nie za wiele.

– Musisz uważać na wszelkiego rodzaju prozaizmy – tłumaczę Grześkowi. – Tekst w gazecie to wprawdzie nie jest jeszcze beletrystyka, jednak jego język musi różnić się od języka potocznego.

– Używam takich wyrazów? – dopytuje się Grzegorz.

– Sporadycznie, ale używasz.

– Może pan je pokazać? – prosi młody dziennikarz.

– Prześledzimy te przykłady i popoprawiamy je. Tutaj na przykład napisałeś, cytując pana Joannickiego, że „tam było bardzo fajnie".

– Ale on tak powiedział... – Grzesiek jest zdziwiony.

– Wierzę. Mógł tak powiedzieć, mimo wszystko nie powinieneś tak napisać.

– Co tu powinno się znaleźć?

– Jest wiele możliwości. Trzeba na podstawie kontekstu sprawdzić, co on chciał powiedzieć. Ponieważ wspomina czasy studenckie, wspaniałych przyjaciół, można by na przykład napisać: „przeżyłem tam niezapomniane chwile" albo: „ten okres w moim życiu pozostawił niezapomniane wrażenia...".

– Rozumiem...

– To najważniejsze. Chcę, żebyś zrozumiał zasadę... Następny przykład, który znajdziemy, spróbujesz poprawić sam.

– Jasne. Spróbuję.

– Jest to następujące zdanie: „To była absolutna klapa...". Wprawdzie coraz częściej tak się mówi, ale tego rodzaju wypowiedź statecznemu człowiekowi nie pasuje... Myślę, że wyrwało mu się to zdanie, ponieważ był na luzie. Swoją drogą, to moje ostatnie zdanie też do gazety średnio pasuje. No, próbuj coś z tym zrobić.

– Czy ja wiem... – zastanawia się Grzesiek. – Może tak: „To przedsięwzięcie zakończyło się całkowitym niepowodzeniem...".

– Na przykład. Zgadzam się z tobą. Tak by mogło być.

W ten sposób analizujemy całe teksty. Poprawiamy też styl i interpunkcję tak długo, aż jesteśmy zadowoleni z rezultatu. Znów musimy wybrać się do Olsztyna, aby autoryzować wywiady, a potem przekazać je do redakcji.

– To ja tak mądrze mówiłem? – żartuje sobie Joannicki, kiedy kończy czytać wywiad, który przeprowadził z nim Grzesiek.

– A ja proszę o wykreślenie jednego zdania – wyraża życzenie pani Joannicka.

– Jakie to zdanie? – niepokoi się Grzesiek.

– Jest to twoje stwierdzenie: „Potem stała się pani najpopularniejszą aktorką teatralną wśród olsztyńskich widzów".

– Proponuję tego zdania nie wykreślać – wkraczam z interwencją. – Czy zgodzi się pani, by zastąpić je stwierdzeniem: „Potem stała się pani jedną z najpopularniejszych aktorek teatralnych wśród olsztyńskich widzów?".

– Na taką formę mogę się zgodzić– uśmiecha się pani Regina.

Znów herbata, ciasto, znów gospodarze nie chcą nas wypuścić z domu, upieramy się jednak, że chcemy jeszcze dziś odnieść teksty do redakcji, ponieważ kłopotliwy byłby dla nas kolejny przyjazd w tej sprawie do Olsztyna. Nasze przybycie do redakcji poprzedza telefon Joannickiego. Umawia nas z redaktorem naczelnym, który dziś akurat jest na miejscu i ma chwilę, by nas przyjąć.

Sekretarka wie, że jesteśmy umówieni, dzwoni do szefa i ten zaprasza nas do swojego gabinetu. Widać musi być z Joannickim w naprawdę dobrych stosunkach, bo podejmuje nas bardzo serdecznie. Każe nam usiąść, zamawia nam herbatę, bierze teksty i czyta przez chwilę w skupieniu. Kiedy kończy, zwraca się do mnie:

– Młody człowieku, oba teksty są bez zarzutu. Są niezłe pod względem merytorycznym, ale, co ważniejsze, są dobre pod względem literackim. Z tym nasi dziennikarze mają dość często kłopoty. Pan studiował może dziennikarstwo? – zadaje mi pytanie.

– Nie, jestem polonistą – odpowiadam nieco zaskoczony.

– A... więc wszystko jasne – śmieje się szczerze. – Jak wobec tego pana teksty miałyby być niepoprawne... Widzę możliwość kontynuowania współpracy z panem...

Kiedy to mówi zaczynam uświadamiać sobie, że zachodzi nieporozumienie.

– Panie redaktorze – próbuję wszystko wyjaśnić. – To nie ja jestem autorem tekstów.

– Jak to nie pan? Czesław dzwonił do mnie, że zjawi się tu autor. – Redaktor jest szczerze zaskoczony.

– Jest tutaj autor, ale to nie ja – tym razem ja się śmieję.

– Więc kto? Czy to ty, chłopcze? – zwraca się do Grzegorza, który na przemian robi się blady i czerwony.

– Właściwie... – jąka się Grzegorz – To znaczy...

– Pozwoli pan, że wszystko wyjaśnię.

– Słucham uważnie. – Redaktor znów skupia uwagę na mnie.

– Grzegorz pisał ten tekst pod moją opieką. Jestem jego nauczycielem języka polskiego. Grzesiek jest też naczelnym gazetki szkolnej, która otrzymała w Warszawie nagrodę, o której, nawiasem mówiąc, państwo pisaliście.

– Rzeczywiście, przypominam to sobie – wtrąca redaktor.

– I, co najważniejsze, Grzegorz właśnie z dziennikarstwem wiąże plany na przyszłość. Przed nim jeszcze szkoła średnia, ale potem studia dziennikarskie.

– No, teraz już wszystko jasne – śmieje się redaktor. – Tak więc, zuchu, twoje teksty pójdą do druku, a o dalszej współpracy pomyślimy – obiecuje Grześkowi.

Kiedy wychodzimy, Grzesiek jest szczęśliwy jak małe dziecko. Buzia mu się dosłownie nie zamyka, zachowuje się, jakby nie miał możliwości mówienia co najmniej przez ostatni rok. Kiedy na chwilę cichnie, nie mogę odmówić sobie drobnej, aczkolwiek życzliwej złośliwości.

– Grzesiu, nic nie mówisz, powiedz coś, proszę. Odezwij się chociaż raz.

Grzesiek przygląda mi się chwilę, nadal milcząc, po czy mówi:

– Ale pan jest...

– O co ci chodzi? – udaję, że nie wiem, co ma na myśli.

– Już pan wie, o co...

– Nic nie mówisz, a ja jestem ciekaw, czy jesteś zadowolony... Jak oceniasz naszą wizytę w redakcji i takie tam sprawy...

– Nic nie mówię... – Grzesiek zwiesza nos na kwintę.

– Grzesiu...

– Słucham? – pyta minorowym tonem.

– Mamy remis. Jest 1 : 1. Proponuję rozejm.

– Ale pan jest... – Grzesiek się powtarza, ale ton jego głosu jest już radośniejszy.

– Obiecałem ci zemstę?

– No tak.

– Więc od tej pory możesz już czuć się bezpieczny. Nic ci więcej nie grozi, a ja czuję się usatysfakcjonowany.

Podajemy sobie rękę na zgodę, bo tak naprawdę, to obaj jesteśmy szczęśliwi.

◊ ◊ ◊

W ostatnim tygodniu przed świętami jesteśmy gotowi z przedstawieniem. Naturalnie przyjeżdżają zaproszeni przez nas goście, a wiejska sala jak zwykle jest pełna. Na scenę wychodzi Grzegorz i rozpoczyna narrację:

– Historia, którą za chwilę opowiemy, jest całkowicie zmyślona, a wszelkie podobieństwa do osób i miejsc są przypadkowe. Bohaterem naszej wigilijnej opowieści jest stary gospodarz o imieniu Stefan, przez całą wieś powszechnie nazywany Skąpcem.

W tym momencie wchodzę na scenę. Jestem poddany pewnej charakteryzacji, ubrany trochę jak alzacki chłop w kapeluszu z piórkiem, trochę jak miejscowy gospodarz w gumofilcach. Wchodzę lekko przygarbiony.

Grzegorz kontynuuje.

– Stefan miał kiedyś skromną, pobożną i niezwykle pracowitą żonę.

Na scenę wchodzi żona z miotłą i wiaderkiem, krząta się po izbie, sprząta.

– Jednak zrzędliwa natura Stefana oraz jego chciwość doprowadziły najpierw do długotrwałej choroby Marianny, a potem do jej śmierci.

Marianna krztusi się, kaszle, po czym omdlała upada na podłogę. Na scenę wbiega dwóch sanitariuszy, układają Mariannę na noszach i schodzą ze sceny.

Grzegorz opowiada dalej:

– Marianna i Stefan mieli czworo dzieci. Najstarsza córka miała na imię Zuzanna.

Na scenę wbiega Julka.

– Zuzanna była najpiękniejszą panną we wsi, zabiegali o nią wszyscy kawalerowie.

Wbiega na scenę kilku chłopaków. Jeden klęka przed Zuzanną na kolana, drugi całuje ją po rękach, trzeci łapie się za serce i mdleje.

– Zuzanna wybrała jednak ubogiego, ale prawego młodzieńca z sąsiedniej wsi, któremu na imię było Józek.

Na scenę wchodzi Rafał i zmierza ku Zuzannie, czyli Julce. Obejmują się i odchodzą na stronę.

Znów do akcji wkracza Grzegorz.

– Drugim dzieckiem Marianny i Stefana był Kazimierz.

Na scenę wchodzi Marcin.

– Kazimierz był przystojnym młodzieńcem, mógł przebierać w pannach, ale wbrew woli ojca ożenił się z niezamożną dziewczyną i musiał wraz z nią zamieszkać bardzo skromnie u teściów. Ową dziewczyną była Magdalena.

Na scenę wchodzi Olka.

– Marianna i Stefan mieli jeszcze dwoje dzieci: syna Zenka i nieco starszą od niego córkę Wiolettę.

Na scenę wchodzą Wojtek i Kaśka.

– Wioletta i Zenek zostali przy ojcu na gospodarstwie i mimo że pracowali od rana do nocy, ojciec był wiecznie niezadowolony.

Zenek w tym momencie przekłada na scenie worki, a Wioletta bierze bańkę na mleko i udaje, że idzie doić krowy. Stefan nie siedzi na scenie cały czas bezczynnie. Od czasu do czasu wstaje od stołu i na przykład w tej ostatniej scenie pogania Wiolettę i Zenka.

– Stefan nie tylko nie szanował dzieci, które żyły przy nim w domu, ale także nie interesował się losem pozostałej dwójki. A nie działo się u nich przecież najlepiej. Mimo że wszyscy byli bardzo pracowici, tak rodzina syna, jak i rodzina córki ledwo wiązały koniec z końcem.

Na scenie Zuzanna i Józek oraz Kazimierz i Magdalena próbują w parach wiązać końce sznurka od snopowiązałki.

Grzegorz zaś opowiada dalej:

– W końcu przyszły na świat pierwsze wnuki. Zuzannie i Józkowi urodziło się dwoje dzieci: chłopiec i dziewczynka.

Na scenę wchodzą chłopiec i dziewczynka. Trzymają się za ręce, ubrani są jak niemowlęta, w ustach trzymają butelki ze smoczkiem.

– Dla obojga rodziców stały się wielką radością, chowały się zdrowo i rosły jak na drożdżach. Niestety dziadek zupełnie się nimi nie interesował.

Dziadek wychodzi zza stołu, przygląda się wnukom robi skrzywioną minę i macha ręką.

– Wkrótce przyszła także na świat pociecha Kazimierza i Magdaleny, by wnet stać się ich wielką troską i zmartwieniem. Córeczka tej pary nie zaczęła chodzić we właściwym czasie i okazało się, że bez kosztownej operacji może do końca życia być przykuta do wózka inwalidzkiego.

Kazimierz i Magdalena wwożą na wózku Elkę, czyli chorą Karolinkę.

– Stefan nie wzruszył się losem także tego dziecka. Ponieważ nieszczęścia zwykle chodzą parami, zachorowała szczęśliwa matka dwójki dzieci, Zuzanna. Specjalistyczne badania wykazały, że choroba Zuzanny jest bardzo poważna.

Na scenie troje lekarzy w białych fartuchach bada Zuzannę.

– Tą chorobą okazała się białaczka. Stało się też jasne, że na leczenie trzeba jeździć aż do Białegostoku i że jest ono bardzo kosztowne. Do Stefana dotarła informacja o tym, ale i to nie wzruszyło starego Skąpca. Jakby tego wszystkiego było mało, po wsi rozeszła się wieść, że nawet nie minął rok od śmierci żony, a Stefan już zaczął uganiać się za kobietami, bo ten i ów widział go w mieście w towarzystwie pań o podejrzanej reputacji.

Na scenie pojawiają się dwie panie, a Stefan wstaje od stołu, bierze je pod mankiet i przechadzają się przed publicznością. Pojawia się też kilkoro przechodniów, którzy wytykają ich palcami.

– Wkrótce Stefan owe kobiety zaczął sprowadzać sobie do domu, gdzie odbywały się głośne zabawy do późnych godzin nocnych. Życie Wioletty i Zenona stawało się nie do zniesienia.

Na scenie Stefan wraz z kobietami zasiadają za stołem i głośno się zachowują. Na stole pojawiają się różne naczynia, butelka i kieliszki. Biesiadnicy polewają sobie.

– Zenon, będąc już u kresu wytrzymałości, próbował zwrócić uwagę ojcu, wytykając mu niestosowność zachowania. Został jednak tylko zbesztany i ojciec kazał mu wynosić się z domu.

Na scenie odbywa się następująca akcja: Zenon, gestykulując, podchodzi do stołu, tłumaczy coś ojcu, ten natomiast zrywa się, wymachując rękami, i wykonuje gest Archanioła Gabriela wypędzającego Adama i Ewę z raju.

– Przepełnił się kielich goryczy. Zenek postanawia wyjechać. Chce wyjechać i to jak najdalej. Postanawia, że wyjedzie na Śląsk. Nic nie pomagają prośby Wioletty, by zrezygnował z zamiaru, na nic zdają się namowy drugiej siostry i brata, aby decyzję odwołał.

W centralnym punkcie sceny pojawia się Zenek i przekonujące go rodzeństwo, najpierw Wioletta, potem Zuzanna, wreszcie Kazimierz. W końcu Zenek pakuje walizkę, żegna się z rodzeństwem i schodzi ze sceny. Wioletta wyciąga chusteczkę i płacze. Kazimierz obejmuje Zuzannę. W tle trwa biesiada Stefana z kobietami.

– Tak mija miesiąc za miesiącem. Wioletta nadal ciężko pracuje, Zuzanna wraz z mężem popadają w długi, a rodzice chorej Karolinki ciągle nie mają pieniędzy na jej operację. Tryb życia, jaki prowadził niemłody już przecież Stefan, w końcu musiał doprowadzić do wyczerpania organizmu. Na miesiąc przed świętami Bożego Narodzenia Stefan mocno podupadł na zdrowiu. Choroba złożyła go w łóżku i wszystkie przyjaciółki nagle go opuściły. Jedynie Wioletta pozostała przy nim i wbrew doznanym od ojca krzywdom troskliwie się nim opiekowała. Ale nawet teraz Stary nie miał dla niej dobrego słowa. Nie życzył sobie także odwiedzin pozostałych dzieci, twierdząc, że tylko czekają na jego śmierć, aby mu się dobrać do kasy.

Na scenie Stefan kładzie się do prowizorycznego łóżka. Wioletta krząta się wokół niego, a on wodzi za nią podejrzliwym wzrokiem.

– Wreszcie nadchodzi dzień Wigilii Bożego Narodzenia. Wioletta wykonała wszystkie codzienne czynności, złożyła ojcu życzenia, przygotowała mu wigilijną kolację, a następnie udała się w odwiedziny do siostry i do brata.

Na scenie Wioletta krząta się koło łóżka ojca, nakrywa białym obrusem stolik, stawia na nim kilka talerzy, wygląda to jak miniwigilijna kolacja. Następnie przechodzi na stronę, gdzie przy wigilijnym stole siedzi wraz z rodziną Zuzanna, po drugiej stronie wraz z rodziną siedzi Kazimierz i ich także odwiedza Wioletta.

– Stary i chory Stefan zostaje w domu sam, tymczasem wszystkie dzieci, także Zenek, który przyjechał na Wigilię do rodzinnej wsi i zatrzymał się u brata Kazimierza, idą na godzinę dwunastą w nocy na pasterkę.

Ze sceny schodzą wszyscy, zostaje tylko leżący w łóżku Stefan.

– W pewnej chwili przy łóżku Stefana pojawia się Duch.

Na scenę wchodzi ubrana na biało zjawa. Za zjawę przebiera się Grzegorz, który musi szybko zejść ze sceny, a potem przebrany wrócić. Przerażony Stefan unosi się na łokciach. Tu rozpoczyna się dialog pomiędzy zjawą a Stefanem:

Zjawa: Przynoszę ci pozdrowienia Stefan.

Stefan: Kim ty jesteś? Czego ode mnie chcesz?

Zjawa: Jestem twoim Aniołem Stróżem.

Stefan: Jak to? Jakim Aniołem?

Zjawa: Jesteś zdziwiony. Zapomniałeś, że masz Anioła Stróża. Wiem o tym dobrze. Całe życie przez ciebie cierpiałem.

Stefan: Nie wierzę w żadne Anioły. Odejdź stąd.

Zjawa: Wiem, że nie wierzysz. Ale ja tak prędko nie odejdę.

Stefan: Zostaw mnie, czego chcesz?

Zjawa: Opowiem ci twoje życie, przypomnę parę faktów, które uleciały z twojej pamięci.

Stefan: Nie chcę. Nie potrzebuję.

Zjawa: Potrzebujesz bardziej, niż myślisz.

Stefan: Co ty możesz o tym wiedzieć?

Zjawa: Tyle samo, co ty, a nawet więcej.

Stefan: Nie dręcz mnie, daj mi spokojnie umrzeć...

Zjawa: Nie mogę. Muszę wykonać swoje zadanie. To jest mój obowiązek wobec ciebie.

Stefan: Zwalniam cię. Odejdź.

Zjawa: Nie ty mnie zatrudniałeś i nie ty mnie będziesz zwalniał.

Stefan: Więc zrób, co musisz i odejdź.

Zjawa: Czy przypominasz sobie swoje dzieciństwo?

Stefan: Dzieciństwo? Nie. Kiedy to było? Nic nie pamiętam.

Zjawa: Przypomnę ci. Urodziłeś się jako długo wyczekiwane przez rodziców dziecko. Ich pierwsze i ostatnie. Kochali cię i rozpieszczali. Niczego ci nie brakowało, miałeś wszystko, czego dusza zapragnie.

Stefan: Po co mi to mówisz?

Zjawa: Ty też ich kochałeś. Kiedy zmarli jedno po drugim, miałeś zaledwie osiemnaście lat. Zostałeś na świecie sam jak palec. Musiałeś ciężko pracować, być zaradny i samodzielny. Ale nie bardzo to umiałeś.

Stefan: Tak. Pamiętam. Pamiętam, jak płakałem i codziennie chodziłem na ich groby.

Zjawa: Ale czy byłeś naprawdę sam? Czy nikt ci wtedy nie pomógł?

Stefan: Sąsiedzi. Pomagali mi, sąsiedzi.

Zjawa: W końcu zakochałeś się i ożeniłeś. Miałeś wtedy 22 lata. Rodziły się kolejno dzieci i dobrze wam się wiodło. Lepiej niż wielu sąsiadom. Czy chociaż raz któremuś z nich w czymś pomogłeś?

Stefan: Nie pamiętam. Nie wiem.

Zjawa: Przypomnę ci: nie i w niczym. Czy chociaż raz kogoś z sąsiadów do siebie zaprosiłeś albo zainteresowałeś się, jakie mają kłopoty?

Stefan: Nie pamiętam. Zostaw mnie.

Zjawa: Przypomnę ci i to. Nigdy. A czy pamiętasz, kiedy znudziła ci się praca i zacząłeś żonę i dzieci traktować jak domową służbę.

Stefan: Odejdź, proszę cię, odejdź już. Nie.

Zjawa: Jak tylko stały się zdolne do pracy. Od tamtej pory przestałeś być dla nich ojcem, a stałeś się folwarcznym rządcą.

Na scenę wchodzą młodzi jeszcze Marianna i Stefan oraz czwórka dzieci (są to rzeczywiście dzieciaki, młodsze rodzeństwo aktorów). Stefan przechadza się pośród nich z surową miną, a żona i dzieci wykonują rozmaite czynności gospodarskie i domowe. Przygląda się temu stary Stefan ciągle wsparty na łokciach.

Zjawa kontynuuje:

Zjawa: Przypatrz się temu dobrze, bo potem było już tylko gorzej. Czy pamiętasz, kiedy z rozpaczy umarła twoja żona? I jak samotnie wychowywałeś dzieci?

Na scenie zmienia się tylko tyle, że znika Marianna, a Stefan, przechadzając się pośród pracujących dzieci, ruga je, na synów nawet podnosi rękę. Na ten widok Stefan leżący w łóżku zakrywa ręką oczy.

Zjawa: Twoje dzieci dorastały zupełnie inaczej niż ty, nikt im nie dał miłości. W końcu jednak dorosły. Jakiego błogosławieństwa udzieliłeś im na życie, kiedy zechciały się usamodzielnić?

Stefan: Długo chcesz mnie jeszcze dręczyć?

Zjawa: Odpowiedz!

Stefan: Żadnego.

Zjawa: Zamiast tego każde wypędziłeś z domu.

Ze sceny tymczasem znikają dzieci, zostaje tylko młody Stefan. Po chwili wchodzi Zuzanna i Józef. Proszą Stefana o błogosławieństwo, ale ten ich przepędza. Następnie w tym samym celu przybywają Kazimierz i Magdalena, ale ich spotyka podobna odprawa.

Zjawa: Jaki los zgotowałeś Wioletcie i Zenonowi, to już chyba pamiętasz?

Tu następuje powtórka sceny, kiedy Zenon odchodzi z walizką, a rodzeństwo go żegna.

Zjawa: Jak dziś wygląda życie twoich bliskich? Co o tym wiesz?

Stefan: Wiem wszystko...

Zjawa: Wątpię. Przypatrzmy się temu razem.

Na scenie najpierw pojawia się rodzina Zuzanny. Wokół stołu, przy którym siedzą Zuzanna i Józek, bawi się dwójka dzieci. Małżonkowie po raz kolejny wertują wyniki badań lekarskich. Zuzanna z troską myśli o przyszłości dzieci, a Józek wyciera płynącą jej po policzku łzę. Następnie Józek obejmuje Zuzannę. Widać wyraźnie, że bardzo się kochają i że choroba Zuzanny jest ich wspólną tragedią.

Następnie na scenie pojawia się rodzina Kazimierza. Mała Karolinka bawi się lalką, siedząc na wózku inwalidzkim. Uczy ją chodzić. W tle za dziewczyną siedzą objęci oboje rodzice. Na ich twarzach rysuje się ból. Stary Stefan wreszcie się wzrusza.

Stefan: Proszę oszczędź mi już tego.
Zjawa: Dlaczego? Nigdy nie robiło to na tobie wrażenia.
Stefan: Nie chcę już. Po co to wszystko, skoro i tak niczego już nie zmienię...
Zjawa: Chciałbyś coś zmienić?
Stefan: Spróbowałbym, ale już przecież umieram...
Zjawa: A na co, twoim zdaniem, jesteś chory?
Stefan: Nie wiem. Jestem stary...
Zjawa: Więc powiem ci: chore jest twoje serce, które umiera z braku miłości...
Stefan: Co to znaczy?
Zjawa: Nie pomogę ci, jeśli nie zrozumiesz tego sam. Kiedy odnajdziesz w sobie miłość, wstań i próbuj naprawić błędy, które popełniłeś w życiu.

Zjawa odchodzi. Zniknęli ze sceny także wszyscy aktorzy, pozostał jedynie Stefan w łóżku. Po krótkiej chwili Stefan wstaje z łóżka. Tymczasem na stronie rodzina Stefana w komplecie wraca z pasterki. Stefan wychodzi im naprzeciw. Następuje chwila konsternacji. Zaraz potem wszyscy składają sobie życzenia.

Tu następuje koniec przedstawienia. Aktorzy kłaniają się, by dać do zrozumienia, że to jest koniec. Na widowni zapada cisza, a po chwili rozlegają się oklaski.

– To był kawał dobrej roboty – gratuluje nam Joannicki.

– Na pewno kawał roboty, a czy dobrej.... – śmieję się. – Zrobiliśmy, co potrafimy. Przecież nie jesteśmy aktorami.

– Nie jesteście, ale wystawiliście sztukę, jak należy – chwali nas Joannicka.

– To miała być i mam nadzieję, że była, dobra zabawa. Co o tym sądzicie, moi kochani artyści? – zwraca się do dzieciaków.

– Zabawa... – ironizuje Grzesiek. – Miałem taką tremę, że o mało nie umarłem.

– Tym się nie przejmuj, Grzesiu – stwierdza Joannicka. – Tremę mają nawet najwięksi aktorzy.

– Zapytaj pana Marka, czy nie miał tremy...

– Pewnie, że miałem – uprzedzam pytanie Grześka, który zwraca ku mnie wzrok. – I to jeszcze jaką...

– Coś wam przywieźliśmy – mówi Joannicki.

– Co takiego? – pyta kilka głosów naraz.

Joannicki sięga do teczki i wyjmuje kilka egzemplarzy „Gazety Olsztyńskiej".

– Już są? – wyrywa się Grzesiek.

– Tak, Grzesiu – odpowiada Joannicka. – Są oba. Zadowolony? – Pyta chłopaka, kiedy ten drżącymi rękami przegląda gazetę.

– Jasne – odpowiada Grzesiek. – Przecież to moje pierwsze teksty w gazecie.

– No, to najważniejsze – śmieje się Joannicki.

– A poza tym, serdecznie dziękujemy za zaproszenie na dzisiaj. – Joannicka podaje mi rękę.

– No, to dopiero początek – odpowiadam uprzejmością na uprzejmość. – Teraz zapraszamy do szkoły. Wypijemy kawę i obejrzycie państwo nasz drugi dom.

– Dobrze pan mówi, panie Marku, dla nas teatr był drugim domem, dla was jest nim szkoła.

Przy kawie i herbacie, którą pijemy w naszej polonistycznej klasie, jeszcze sobie nieco gawędzimy.

– To ty, Grzesiu, w tym roku już kończysz szkołę... – zagaja pani Joannicka.

– No tak – wielce rezolutnie odpowiada Grzesiek.

– Podjąłeś decyzję, do jakiej szkoły będziesz zdawał?

– Do jakiegoś ogólniaka w Olsztynie. To chyba obojętne do jakiego...

– Oczywiście, że tak – zgadza się Joannicka. – Najważniejsze, żebyś się uczył i wiedział, co chcesz osiągnąć.

– No, a większość z pozostałych kończy za rok – dodaję.

– Kto? – interesuje się Joannicki.

– Ja – zgłasza się Wojtek.

– I ja – mówi Julka.

– Ja też – zgłasza się Olka.

– Ja – nieśmiało podnosi rękę Rafał.

– Marcin też – za Marcina wyrywa się Julka.

– W tym roku kończy tylko Grzesiek! – śmieje się Joannicka.

– No, nie. Póki co, nie stać nas na jednoosobowe klasy – wtrąca żartem dyrektor.

– Jeszcze ja kończę w tym roku – przyznaje się Kaśka.

– I ja – mówi Elka.

– A pan – zwraca się do mnie żartem Joannicki.

– Szczerze powiedziawszy nie zastanawiam się nad tym. – Będę tu tak długo, jak długo będzie mi tu dobrze i będzie mi to odpowiadało.

– Trudno uwierzyć, że zostanie pan tu na zawsze – wyraża opinię Joannicka.

– Tymczasem ja szykuję się do odejścia – stwierdza dyrektor.

Zaskakuje tym wszystkich. Także mnie.

– Nic pan o tym nie wspominał – tym razem ja zabieram głos.

– Sam też o tym wiem od niedawna. Mam propozycję innej pracy. Chcę się sprawdzić.

– Lepszej? – pyta Joannicki.

– Niekoniecznie. Innej. Pomyślałem, że czas coś zmienić.

– Kto pana tutaj zastąpi?

– Któż to wie? Ogłoszą konkurs, taka jest procedura.

– Może w konkursie wystartuje pan Marek? – głośno myśli Joannicka.

– Czemu nie – stwierdza dyrektor. – Z pewnością doskonale by sobie poradził.

– Ale by było super – wyrywa się Wojtkowi.

Nagle spostrzegam, że oczy wszystkich zwrócone są na mnie.

– Nie czas teraz się nad tym zastanawiać – stwierdzam wymijająco, aby wykręcić się od konieczności zajęcia jakiegokolwiek stanowiska.

Proponuję zwiedzanie szkoły. Oprowadzamy gości po głównych salach lekcyjnych, pokazujemy pokój nauczycielski, ale z największą dumą prezentujemy naszą małą redakcję. Jest ciasna, ale własna, a króluje w niej wywalczony przez nas dzielnie komputer. Tu obdarowujemy małżeństwo kompletem dotychczas wydanych gazetek szkolnych, a następnie zapraszamy na przygotowany przez naszą kuchnię skromny posiłek. Rozstajemy się w późnych godzinach popołudniowych w doskonałych nastrojach. Obiecujemy sobie dalszy kontakt i współpracę. Bohaterem dnia dziś już do końca pozostaje Grzegorz. Nasi aktorzy przez długie jeszcze tygodnie nie będą używać własnych imion. Będą więc Mariannami, Zuzannami, Kazimierzami, Józkami czy Zenkami, a ja Stefanem. Mają jeszcze długi czas dobrą zabawę, a przecież właśnie o to chodziło. Chociaż nie tylko...

Sprawa konkursu na dyrektora po pewnym czasie wraca. Dyrektor rzeczywiście odchodzi. Okazuje się jednak, że z końcem roku kalendarzowego. W szkole wywołuje to niemałe wzburzenie. Tak bywa, kiedy zmienia się porządek rzeczy, zdawałoby się raz na zawsze ustalony. Wydawało się, że dyrektor jest, był i będzie. Kiedy staje się jasne, że nie będzie, wszyscy zastanawiają się, co z tym począć. Padają różne propozycje, w głowach nauczycieli i rodziców rodzą się różne pomysły. Coraz częściej jednak powraca koncepcja, abym to ja przystąpił do konkursu jako kandydat grona pedagogicznego. W zasadzie mam najwyższe kwalifikacje. Są nauczyciele o wyższym stażu pracy, ale nie mają wyższego wykształcenia. Są już nauczyciele z wyższym wykształceniem, ale mają mniejszy niż ja staż pracy. Ostatecznie zostaję namaszczony. Nikt nie chce, aby nowy dyrektor przyszedł z zewnątrz.

Sam przeżywam wewnętrzne rozterki. Dla mnie wziąć na siebie funkcję dyrektora oznacza podjąć decyzję o tym, że zostaję tu na minimum pięć kolejnych lat. Wbrew pozorom to bardzo znacząca decyzja. Decyzja, która niewątpliwie będzie mieć duży wpływ na moje życie osobiste. Konkurs zbiega się w czasie z kończeniem szkoły przez moją klasę. Ukończenie przez moich uczniów ósmej klasy wydaje się dobrym momentem na wyjazd, jeśli mam wyjechać. Kilka tygodni biję się więc z myślami. Ostatecznie dochodzę do wniosku, że jakiejś szczególnej i niezwykle atrakcyjnej propozycji innej pracy nie mam. Prawda, że jej nie szukam, ale gdyby szukać, to właściwie gdzie? Przecież nawet się nad tym nie zastanawiałem. Wydaje mi się, że najlepiej więc zrobić tak jak dyrektor. Jeśli gdzieś odejść, to wiedzieć gdzie, wiedzieć po co i dlaczego. Takie rozumowanie mnie uspokaja. W ten sposób przekonuję sam siebie, że z podjęciem decyzji o wyjeździe nie ma się co spieszyć. Postanawiam w wakacje skupić się nad opracowaniem koncepcji pracy szkoły. Przed wakacjami czeka nas jeszcze pożegnanie ósmej klasy. Tradycją szkoły jest organizowanie pożegnalnego balu. Ale taki bal na dobrą sprawę niczym się nie różni od zwykłej szkolnej dyskoteki. Z jednym wyjątkiem. Uczniowie mają w klasie poczęstunek. Składają się nań kanapki, ciasto i słodycze, zimne i gorące napoje. Poczęstunek w pokoju nauczycielskim mają też nauczyciele i rodzice. Tu stół zastawiony jest zwykle bardziej konkretnie. Półoficjalnie pojawia się tu także alkohol. Klasa ósma zwyczajowo zaprasza na bal pożegnalny klasę siódmą. Niektórzy po uzyskaniu zgody wychowawcy mogą przyjść na zabawę z osobą towarzyszącą. Ponieważ za rok żegnać się będzie moja klasa, analizuję dokładnie sytuację, przyglądam się, jak do rozstania ze szkołą przygotowuje się obecna ósma. Siódma odpowiada za przygotowanie pożegnalnego apelu, musimy więc przemyśleć, jak on powinien wyglądać. Julka ma bardzo interesujący pomysł.

– Wokół szkoły jest tyle niezagospodarowanej przestrzeni – stwierdza dziewczyna. – A gdyby tak zacząć odchodzącym klasom sadzić pamiątkowe drzewa...

– Czemu nie – popieram pomysł.

– I zrobilibyśmy pamiątkowe tabliczki. – Do idei zapala się Wojtek.

– Co by miało być na tych tabliczkach? – pyta Rafał.

– Klasa ósma, rok szkolny taki a taki – proponuje Marcin.

– Można jeszcze dopisać imię i nazwisko wychowawcy – włącza się Olka.

– Wszystko to można zrobić – zgadzam się. – Pamięć ludzka jest ulotna, może więc warto to wszystko utrwalać. Takie tabliczki będą jednak nietrwałe i kolejne klasy będą musiały stale troszczyć się o to, by były czytelne.

– No to będą! – wyraża swoje przekonanie Wojtek.

– Będą albo i nie będą – Marcin podchodzi do sprawy sceptycznie.

– Trzeba dodatkową informację umieścić w kronice szkoły – stwierdza Julka.

– Ale jaką? – dopytuje się Olka.

– No taką, które drzewo posadziła która klasa – odpowiada Julka. – Wtedy taka informacja zostanie na zawsze, nawet gdy zniszczeje tabliczka.

– Ciekawe czy ta tradycja się w ogóle przyjmie... – powątpiewa Marcin.

– Przyjmie, nie przyjmie, spróbować warto – kwituje wątpliwości Marcina Wojtek.

– O dwa lata możemy być spokojni – żartuję sobie.

– No tak – zgadza się Marcin.

– Ale to może być super! – wykrzykuje Wojtek.

– Co? – niemal chórem pytają inni.

– No, przyjechać tak po wielu latach tutaj do szkoły i zobaczyć, ile to drzewo, które posadziliśmy urosło... – emocjonuje się Wojtek.

– Prawda – zgadza się Julka.

– Ale jakie drzewo posadzić? – zastanawia się głośno Rafał.

– Dobre pytanie – chwalę Rafała.

– Dlaczego? – ciekawi się Olka.

– Choćby dlatego, że różne drzewa bardzo różnie rosną – odpowiadam.

– Jak to różnie? – nie rozumie Olka.

– Chodzi mi o to, że jedne rosną szybciej, inne wolniej, jedne żyją dłużej, inne krócej. Kto wie, jakie drzewo żyje u nas najdłużej? – zadaję pytanie.

– Dąb – zgłasza się Wojtek.

– Z całą pewnością – potwierdzam. – Wobec tego, jakie drzewa powinniśmy sadzić? – pytam.

– Takie, które rosną najdłużej – odpowiada Marcin.

– Myślę, że tak. W tej sytuacji nie powinny to być jakieś jarzębiny, głogi czy klony...

– A co będzie, jeśli się jakieś drzewo nie przyjmie? – zastanawia się Julka.

– Jak to nie przyjmie? – Rafał jest zdziwiony.

– Ile drzew posadziłeś w życiu? – pyta go Julka.

– No... nie wiem – Rafał jest zaskoczony.

– A kto w ogóle sadził drzewa? – Julka atakuje dalej.

– Ja sadziłem jabłonkę – chwali się Marcin.

– A ja gruszę – mówi Wojtek.

– Przestańcie! – denerwuje się Julka. – Mnie chodzi o prawdziwe drzewa. Co będzie, jeśli się takie drzewo nie przyjmie? Przecież to się może zdarzyć.

– No tak, jak się zakłada las, drzewka sadzi się bardzo gęsto – stwierdza Rafał. – Część zawsze uschnie.

– W lesie to co innego – stwierdza Wojtek. – Tu się będzie drzewko podlewać i na pewno go nie zjedzą sarny czy zające...

– Ale wy macie problem – irytuje się Olka. – Jak jedno się nie przyjmie, trzeba będzie natychmiast posadzić drugie. Nie ma innego wyjścia.

– Ola ma rację – wtrącam. – Posadzone drzewo trzeba będzie pielęgnować, ale gdyby się zdarzyło, że się nie przyjmie, posadzimy nowe, nie ma rady. Najlepszym miesiącem do sadzenia jest kwiecień i tego terminu trzeba się będzie trzymać.

Zastanawiamy się także nad programem na zakończenie.

– Może zrobić coś w rodzaju Muppet Show – proponuje Wojtek.

– Jak to sobie wyobrażasz? – pyta Marcin.

– No, dokładnie nie wiem... jakoś by trzeba niektórych ósmali ponaśladować...

– Jest to jakiś pomysł – chwalę Wojtka. – Należałoby ich bacznie obserwować i wychwycić to, co w nich najbardziej charakterystyczne.

– Niektórych już teraz mogłabym zagrać – śmieje się Julka.

– Kogo na przykład? – dopytuje się Olka.

– No, na przykład Kaśkę – odpowiada Julka. – Tylko do tego potrzebny byłby też Wojtek – Julka pozwala sobie na drobną złośliwość.

– W charakterze rekwizytu – śmieje się Olka.

– Uważajcie, żeby za rok ktoś z was się tak nie pośmiał – odgryza się Wojtek.

– One ci zazdroszczą, nie bierz do głowy – pociesza Wojtka Marcin.

– No – dorzuca Rafał, który chce być z chłopakami solidarny.

– Proszę mi się tu nie kłócić – interweniuję. – Przed nami stoi poważne wyzwanie. Trzeba się zastanowić, kogo bierzemy pod uwagę i jakie najbardziej charakterystyczne cechy wybranej postaci będziemy chcieli uwypuklić. Na pewno to będzie Kaśka. Kto jeszcze?

– Trzeba wziąć Grześka – podpowiada Julka.

– Elkę – proponuje Marcin.

– Maćka – sugeruje Wojtek.

– Pamiętajcie, że wszystkich się nie da – wtrącam.– To może być z dziesięć osób, dlatego powinny to być te najbardziej charakterystyczne. Żeby nikt nie czuł się pominięty w całym programie trzeba będzie jakoś wspomnieć o wszystkich. Niekoniecznie jednak akurat w Muppet Show.

– To może zrobić jakąś inscenizację lekcji? – daje pod rozwagę pomysł Julka.

– Można spróbować – zgadzam się.

– A może lekcji kilku różnych przedmiotów..., taką kombinację, żeby pokazać charakterystyczne momenty – proponuje Marcin.

– I to jest dobra myśl – podoba mi się pomysł Marcina. – Tu można pokazać najlepszych uczniów z poszczególnych przedmiotów, ale także tych, którzy mają najmniej do powiedzenia. Jeżeli chodzi o polski, to ja wam wiele podpowiem. Zwrócimy się też o pomoc do innych nauczycieli.

– Ale i my sporo wiemy – śmieje się Wojtek. – Oni sami o sobie opowiadają.

– Gdyby wiedzieli, że to, co powiedzą, zostanie użyte przeciwko nim... – żartuje Marcin.

– Na pewno trzymaliby język za zębami – dopowiada Olka.

– Można też zrobić jakiś minikoncert życzeń – głośno myśli Rafał.

– To ty powiedziałeś, Rafał? – Wojtek nie może oprzeć się pokusie podokuczania koledze.

Tymczasem Rafał znów robi się czerwony jak burak.

– Odczep się od niego – broni Rafała Julka. – To całkiem niezły pomysł, jeśli się do niego odpowiednio przyłożyć...

– Czy to miałby być koncert z piosenką? – pytam.

– Chyba raczej tak – mówi za Rafała Julka.

– A co ty o tym sądzisz? – zwracam się do Rafała.

– Tak – pośpiesznie odpowiada Rafał.

Powoli program zaczyna nam się układać w większą całość. Wszystko wymaga jeszcze dużo pracy, ważne jednak, że dzieciakom pomysłów nie brakuje.

◇ ◇ ◇

Nie najlepiej wychodzi tylko punkt: współpraca z innymi nauczycielami. Nie z winy nauczycieli, bynajmniej. Winę ponosi nadmiernie rozwinięte u moich uczniów poczucie humoru. Któregoś dnia wpada do mnie do klasy roztrzęsiona pani Mirka.

– Co się stało? – pytam.

– Ta pana klasa! Oni są obrzydliwi! – woła wzburzona nauczycielka.

– Ale co się stało? – domagam się wyjaśnienia.

– Kiedy przyszłam na lekcję, pod tablicą była... kupa – wyjaśnia z grymasem na twarzy pani Mirka. – Pięć minut w toalecie wymiotowałam – skarży się kobieta, a ósma klasa, z którą mam aktualnie lekcję, pokłada się na ławkach ze śmiechu.

– Uspokójcie się! – upominam klasę, a nauczycielce proponuję, żebyśmy wyszli na korytarz.

– Pani Mirko! Proszę przez chwilę przypilnować klasy ósmej, ja natomiast przejdę się do swojej siódmej.

– Dobrze – zgadza się nauczycielka.

Kiedy wchodzę do sali, w której ma lekcję muzyki moja siódma, uczniowie są rozbawieni.

– Co to ma znaczyć? – pytam.

Kątem oka dostrzegam jednocześnie leżącą pod tablicą kupę. Temu nieciekawemu zjawisku nie towarzyszy jednak żaden odpychający zapach, sprawa robi się więc sama w sobie śmierdząca.

– Proszę pana – zgłasza się Wojtek.

– Co masz do powiedzenia?

– Klasa była otwarta, wszedł pies i narobił... – Wojtek wyjaśnia, a cała siódma tarza się ze śmiechu.

– Szkoda, że nie niedźwiedź, ten pies musiałby być naprawdę wielki – ironizuję.

– Był wielki – tłumaczy Wojtek.

– Dlaczego więc tego nie sprzątnęliście? – pytam.

– Nie zdążyliśmy, pani przyszła za szybko – Wojtek ma na wszystko odpowiedź.

– A teraz, czemu się cieszycie zamiast posprzątać? Jesteście zadowoleni, że pani nie może prowadzić lekcji. – To już bardziej stwierdzenie niż pytanie.

– Proszę pana, pani przesadza – zabiera głos Julka.

– A to dlaczego? – Jestem zdumiony.

– Bo nawet nie sprawdziła, co to jest – informuje mnie Marcin.

– A niby jak to miała sprawdzić? Czy pani ma tu laboratorium?

– To jest sztuczne, proszę pana – mówi Olka.

– Prawdziwe! – śmieje się Wojtek.

– A więc to taki dowcip... – zaczynam wszystko rozumieć.

– No właśnie – mówi Julka.

– Przezabawne – przedrzeźniam Julkę. – Przedni kawał. Dobrze się bawicie? – pytam.

– Nic takiego nie zrobiliśmy – tłumaczy się Wojtek.

– Nic? Czy zainteresowaliście się, co teraz dzieje się z panią?

– No, chyba się pogniewała...

– To nie to – stwierdzam. – Pani Mirka jest bardzo wrażliwa, przez was ma komplikacje żołądkowe, a to już nie jest zabawne...

– Naprawdę? – Julka jest zdziwiona.

– Naprawdę.

– Chcieliśmy tylko zażartować – Wojtek już nieco spuszcza z tonu.

– Chyba wam nie wyszło... Żeby to chociaż był prima aprilis... Kto to wymyślił?

– Ja – przyznaje się Wojtek.

– Mogłem się tego spodziewać.

– Wszyscy myśleliśmy, że to będzie śmieszne – broni Wojtka Julka.

– Może by i było. Trzeba się jednak zastanowić nad właściwym miejscem i czasem. Pomysł zrobienia takiego dowcipu akurat pani Mirce nie był najszczęśliwszy.

– Pan by się nie pogniewał – przymila się Olka.

– Być może, ale nie tylko o to chodzi. Czas już zakończyć tę zabawę. Mam nadzieję, że wiecie, co dalej zrobić...

– Wiemy – pada chóralna odpowiedź.

– A ty, Wojtuś, pójdziesz poszukać pani...

Pożegnanie ósmej klasy nadchodzi równie szybko jak zakończenie roku dla klas pozostałych. Najpierw jednak pożegnanie. Tego dnia w szkole nie może być normalnie. Wprawdzie ósma ma przyjść dopiero po długiej przerwie, ale siódma ma niemal od rana próby, szósta zaś dekoruje szkołę, a zwłaszcza salę gimnastyczną. Młodsze klasy, chcąc pomagać, oczywiście przeszkadzają i wszystko to składa się na ogólny galimatias. Dyrektor, który początkowo próbuje zapanować nad sytuacją, ostatecznie kapituluje i zaszywa się w swoim gabinecie.

◇ ◇ ◇

Dzieciaki wpadają na pomysł, by towarzyszyć przyjaciołom w Olsztynie podczas egzaminów do szkół średnich. Oczywiście namawiają na wyjazd także mnie. Nie mam nic przeciwko, ponieważ nim wyjadę na wakacje, mam jeszcze kilka wolnych dni.

Kaśka jest z rodzicami w Olsztynie już od wczoraj. My wraz z Grześkiem jedziemy dziś na egzaminy. Wprawdzie nie boję się, że Grzesiek sobie nie poradzi, ale skoro ma być mu raźniej... Chłopak solidnie się przygotowywał, więc nie powinno być źle. Wsiadamy rano w pociąg i jeszcze po drodze Grzesiek wypytuje mnie o różne rzeczy z literatury.

– Daj już spokój – proszę.

– Ale ja niczego nie pamiętam – Grzesiek powoli ulega panice.

– Wszystko ci się w końcu pomiesza. Przestań już. Będzie dobrze – uspokajam go.

– Nic nie napiszę – histeryzuje Grzegorz. – Nie mam po co jechać...

– Wiecie co? – zwracam się do dzieciaków.

– Co? – interesuje się Wojtek.

– W Olsztynie zostawiamy go.

– Dlaczego? – dopytuje się Julka.

– Bo mam wrażenia, że nasza obecność wpływa na Grześka destrukcyjnie...

– Nie! – protestuje Grzegorz. – Nie róbcie mi tego.

– To przestań się mazać – strofuje go Wojtek.

– Już nie będę – obiecuje Grzesiek.

W szkole, do której zdaje Grzegorz, spotykam koleżankę ze studiów. Okazuje się, że tu pracuje.

– Co ty tu robisz? – pyta zdziwiona.

– Występuję w charakterze Anioła Stróża mojego ucznia.

– O! Zdaje do nas?

– Tak.

– Który to, bo masz ich tu kilkoro.

– Grzegorz, przedstaw się – żartuję.

– Zaopiekuję się tobą – obiecuje koleżanka.

– To nie zaszkodzi, choć Grzesiek powinien sobie doskonale poradzić.

– Jest dobry z polskiego?

– Niezły. Może się tylko zestresować na ustnym.

– Komisja będzie życzliwa, nie ma się czym stresować – śmööieje się Monika, po czym przeprasza i odchodzi, ponieważ za chwilę uczniowie będą wpuszczani na salę.

Kiedy Grzesiek znika za drzwiami, na półtorej godziny zostajemy sami. Wychodzimy z budynku szkoły do przyszkolnego ogrodu. W otoczeniu szkoły znajduje się duże pokryte zieleniejącą murawą boisko do piłki nożnej, obok niego wyasfaltowane boisko do piłki ręcznej i kosza, a dookoła obsadzone ozdobnymi drzewami i krzewami trawniki, które przecinają chodniki, wzdłuż których ustawione są ławeczki. Na jednej z tych ławek przysiadamy. Pogoda jest piękna. Wysoko na niebie świeci słońce, jest tak ciepło, że szybko zdejmujemy z siebie kurtki. Popadamy w stan rozleniwienia, tylko w Wojtku odzywa się marzycielska nuta.

– Fajnie tu mają – stwierdza. – Takie boicha, ale by się grało.

– U nas też jest gdzie grać – oburza się Julka.

– Jasne – podstępnie przyznaje jej rację Wojtek. – Na pastwisku.

– Nie przesadzaj – śmieje się Marcin. – To nie jest żadne pastwisko tylko łąka.

– Wielka różnica – wydyma usta Wojtek.

– Za rok ty też możesz tu grać – żartuję. – Wybór należy do ciebie.

– Najpierw niech się dostanie Grzesiek – Wojtek jest nastawiony sceptycznie.

– A jeśli się dostanie? – ciągnę Wojtka za język.

– Będzie się musiał wziąć za naukę – odpowiada za Wojtka Marcin.

– Jak będę się chciał tu dostać, to wezmę się za naukę – odkuwa się Wojtek.

– Dość tych kłótni – przerywam. – Proponuję spacer w poszukiwaniu czegoś słodkiego.

– Idziemy na lody! – cieszy się Elka.

– No, nie wiem, czy akurat na lody... – jestem sceptycznie nastawiony.

– Czemu? – dziwi się Julka. – Jest ciepło.

– Przede wszystkim idziemy – proponuję. – A co przyniesie nam los, to się okaże.

A los okazuje się, jak zwykle, okrutny. Wprawdzie dłuższy czas idziemy po prostu wzdłuż bloków, jednak już po kilkunastu minutach marszu przed nami otwiera się świat pokus. Po obu stronach ulic pełno jest sklepów i sklepików, których wystawki uginają się wprost od owoców i łakoci. Dzieciaki kupowałyby wszystko. Muszę czuwać, by w kieszeniach zostało im co nieco na bilety, a niekoniecznie na lody.

Grzesiek po opuszczeniu sali wygląda jak z krzyża zdjęty.

– Co jest? – prawie równocześnie dopadają go Wojtek i Julka.

– Nic – Grzegorz wzrusza ramionami.

– No, jak to nic? – Julka jest zdumiona.

– Napisałeś? – dopytuje się Wojtek.

– Napisałem. – Grzesiek odpowiada tak, jakby jego z kolei dziwiło pytanie Wojtka.

– Ale co? – wtrąca się Elka.

– No jak to, co? – Grzesiek jest poirytowany. – Wypracowanie z polskiego.

– Nie męczcie go – przychodzę Grześkowi z pomocą. – Czy nie widzicie, że on jest nieprzytomny?

– Fakt – stwierdza Wojtek.

– Dajmy mu więc złapać oddech – śmieję się.

– Przepraszam – usprawiedliwia się Grzesiek. – Ale naprawdę czacha mi dymi – pociera rękami głowę.

– No dobra – Wojtek klepie go po plecach na pojednanie. – Opowiesz nam w drodze powrotnej do domu.

Jednak brzmienia tematu, na jaki pisał, Grzegorz nie przypomniał sobie także w pociągu.

– Coś o *Krzyżakach* – stwierdził.

– No, ale o czym pisałeś? – Julka niecierpliwi się już na dobre.

– Coś o kodeksie rycerskim...

– No to o kim pisałeś?

– O Zbyszku, o Jurandzie, Maćku, wspomniałem też Zygfryda de Löwe. Namąciłem na trzy strony.

– Jeśli mąciłeś z sensem, w zupełności wystarczy – żartuję. – Wierzę, że tak właśnie zrobiłeś. Zapomnij już o polskim, bo jutro czeka cię matematyka.

– Niech mi pan nie przypomina... błagam o litość – Grzegorz przewraca oczyma.

– Dobrze! – śmieję się. – Przypomnimy ci dopiero jutro.

I teraz śmieją się już wszyscy, bo doskonale wiemy, że matematyka jest piętą Achillesową Grześka.

◇ ◇ ◇

Rozterki, które przeżywałem, zdały się na nic. Dwie przyczyny sprawiają, że ostatecznie podejmuję decyzję o wyjeździe. Pierwszą stanowi konkurs na dyrektora. Jest to dla nas wszystkich wielkie wydarzenie. Tak dla nauczycieli, jak i dla uczniów i ich rodziców. Osobiście jestem również zaangażowany. Przygotowuję się do rozmowy, mam opracowaną koncepcję rozwoju szkoły. We właściwym terminie stawiam się w dopiętym na ostatni guzik garniturze przed komisją konkursową. Jednak nie dane mi jest przedstawić mojej koncepcji. Zaproszony przez szacowne komisyjne gremium zostaję poinformowany, że nie mogę być dopuszczony do konkursu, ponieważ nie spełniam wymogu stażu pracy. Do pełnych pięciu lat brakuje mi trzy miesiące i kilka dni. Przedstawiciele komisji stwierdzają, że gdyby nie to, byłbym najlepszym kandydatem na dyrektora. W tej sytuacji wszakże muszą mi podziękować. Wszyscy przeżywamy więc wielkie rozczarowanie. Drugą przyczynę stanowi decyzja dotycząca powrotu w rodzinne strony, by zająć się budową domu. Ten rok jednak postanawiam dopracować. Mam przecież ósmą klasę i chcę ją doprowadzić do końca. Jestem emocjonalnie silnie związany ze swoimi dzieciakami, więc rozstaniemy się w sposób naturalny. Oni pójdą do innych szkół, ja wyjadę. Tymczasem jestem świadkiem ich rozwoju psychofizycznego, widzę, jak rosną, jak się zmieniają, mądrzeją, doroślęją. Myślę wraz z nimi o ich przyszłości. Niektórych czeka praca w rodzinnych gospodarstwach, które kiedyś być może przejmą po rodzicach. Nie mają wielkich aspiracji, jeśli chodzi o dalszą edukację. Pójdą do rolniczaka w pobliskim Kościelnie, ich nauka zapewne zakończy się na zawodówce. Niektóre z dziewcząt wybierają się do handlówki, bo chcą pracować jako ekspedientki, inne chcą poznawać fryzjerstwo czy gastronomię. Kilku chłopców wybiera się na stolarstwo i kierunki budowlane. Ale jest też grupka uczniów myślących o dalszej nauce i ci wybierają się do ogólniaka. Siłą rzeczy najwięcej pracuję z tą właśnie grupką. Piszą dużo wypracowań, praktycznie przy każdej lekturze coś im zadaję.

Najlepsza jest oczywiście Julka, no ale ona przecież chce zostać nauczycielką. Wojtkowi i Marcinowi też idzie nieźle, podobnie jak Olce. W tej grupce jest również Rafał. Temu ostatniemu pisanie idzie o wiele lepiej niż mówienie. Wszystkich ich czeka egzamin pisemny z języka polskiego. Moją ambicją jest, aby go napisali jak najlepiej. Najlepsze prace uczniowie na lekcjach prezentują głośno, po czym omawiamy je, uwypuklając szczególnie dobre strony. Próbuję przyzwyczajać uczniów do obiektywnej oceny prac innych, do konstruktywnej krytyki. Są jednak dzieciaki, które za nic w świecie nie przeczytają swojej pracy przy całej klasie ani nie wypowiedzą się ustnie. Nie próbuję ich zmuszać. Także recytację pozwalam zaliczać niektórym uczniom na osobności na przerwie. Przekonuję się, że niektórzy, nawet jeśli znają wiersz na pamięć, publicznie oświadczą, iż są nieprzygotowani. Wyjątki stanowią dzieciaki, które wolą mówić niż pisać. To są najczęściej liderzy w pracy w grupach. To właśnie oni najchętniej wypowiadają się na temat opracowany przez całą grupę. Na kolejny Dzień Edukacji zgadzam się chętnie na mały pedagogiczny eksperyment. Tego dnia sam nie poprowadzę ani jednej lekcji. Rozmawiam z innymi nauczycielami, aby moim ósmoklasistom pozwolili też poprowadzić lekcje za siebie. Wszyscy na to przystają i pomagają chętnym uczniom w przygotowaniu tematów, a nawet konspektów lekcji na ten dzień. Na specjalnej zwołanej na tę okoliczność radzie pedagogicznej podejmujemy decyzję, że pozwalamy nauczycielom-uczniom oceniać i będziemy honorować wystawiane przez nich oceny.

– Jeśli chcemy, aby podeszli do sprawy poważnie – powinniśmy im na to pozwolić – zachęcam.

– Myślę, że nie będą nadużywać danych sobie przywilejów – stwierdza pani Mirka.

– Mam nadzieję, że jesteśmy zgodni, że tego dnia dwójek się jednak nie stawia – śmieje się pani Tereska.

Natomiast pani Hanka uważa, że nauczyciele-uczniowie powinni towarzyszyć nam tego dnia w pokoju nauczycielskim i także na to przystają wszyscy.

– No, to będzie prawdziwe święto – żartuje Robert. – Odpoczniemy sobie od lekcji.

– Ale najpierw, kolego, popracujemy więcej – gasi go nowy dyrektor.

– Mamy tego świadomość – przychodzę Robertowi w sukurs. – Przygotujemy odpowiednio uczniów do poprowadzenia lekcji.

– Chyba można będzie jednak podejść do tego wszystkiego z przymrużeniem oka – próbuje łagodzić sytuację ksiądz.

– Chcemy w to wierzyć, proszę księdza – stwierdzam.

Na godzinie wychowawczej wrze. Moje dzieciaki są podekscytowane. Na szczęście przydział przedmiotów do poszczególnych uczniów następuje w sposób naturalny.

– Ja chcę nauczanie początkowe – woła Olka.

– Ja też – zgłasza się Julka.

– W takim razie kto polski? – jestem zdziwiony.

– Polski niech poprowadzi Wojtek albo Marcin – dyryguje Julka.

– Ja chcę biologię – protestuje Marcin.

– No dobrze, ja mogę wziąć polski – skwapliwie zgadza się Wojtek.

– Kto chciałby poprowadzić wychowanie fizyczne? – pytam.

Spodziewam się, że będzie wielu chętnych chłopców i nic a nic się nie mylę.

Do wychowania fizycznego wyznaczamy Rafała i Łukasza, a Julkę proszę, by zajęła się rosyjskim, ponieważ z tego przedmiotu nikt w klasie nie jest od niej lepszy. Przekonuję ją, że nauczaniem początkowym mogą się zająć inne dziewczęta.

– Czy możemy prowadzenie tych lekcji potraktować nieco na wesoło? – pyta Wojtek.

– Jak to rozumiesz? – interesuję się. – Nauczyciele życzyliby sobie, żebyście do lekcji przygotowali się raczej rzetelnie.

– Z tym się zgadzam – mówi Wojtek. – Ale moglibyśmy, na przykład, tak trochę ucharakteryzować się na zastępowanych nauczycieli...

– Ciekawe – stwierdzam. – I ty na przykład na mnie – udaję surową minę.

– Na przykład – odpowiada Wojtek.

– Myślę, że nie ma przeciwwskazań. Pamiętajcie tylko o zachowaniu umiaru i kulturze, bo złośliwości nie możemy tolerować.

– To jasne – zgadza się Wojtek.

– Więc jak masz zamiar upodobnić się do mnie? – jestem ciekaw.

– To pozostanie na razie moją tajemnicą – odpowiada Wojtek.

– Dobrze. – Nie pozostaje mi nic innego, jak na to przystać. – W każdym razie, jeśli będziesz potrzebował mojej marynarki, możesz na mnie liczyć – śmieję się.

– Taki rekwizyt może mi się przydać – chwyta pomysł Wojtek.

– To ja się uczeszę jak pani Tereska – planuje Julka.

– A ja włożę sukienkę w kwiaty jak pani Mirka – zapowiada Olka.

– A co ja zrobię? – Marcin robi bezradną minę. – Jeśli Wojtek będzie udawał pana, to kogo ja?

– Weź matematykę – radzi mu Wojtek, ale Marcin krzywi się na tę okoliczność.

– Jednak i matematyką ktoś musi się zająć... – przypominam.

– Może Adam zajmie się matematyką i fizyką? – sugeruje Julka.

– Nie mam nic przeciwko, ale czy Adam zechce... – mam wątpliwości, ponieważ Adam w ogóle nie lubi się wychylać.

– Namówimy go – stwierdza Wojtek, gdy i tym razem Adam milczy.

Moja ósma klasa zajmuje się prowadzeniem lekcji, siódma zostaje więc zobowiązana do przygotowania uroczystej akademii z okazji Dnia Edukacji Narodowej. Akademię planujemy na czwartej lekcji po długiej przerwie, a więc u nas po przerwie obiadowej. Po akademii rodzice zapraszają nauczycieli na kawę i ciasto, a lekcje powoli będą się kończyć. Nasi nauczyciele-uczniowie poprowadzą więc trzy do czterech lekcji, ale to i tak dużo, jak na pierwszy raz.

Tego roku Dzień Nauczyciela wypada w piątek. To bardzo dobry termin, bo przecież może się zdarzyć w sobotę czy niedzielę. Od rana w szkole panuje większe zamieszanie. Dzieje się tak głównie za sprawą zdublowanych nauczycieli. My oczywiście wchodzimy na lekcje wraz z zastępującymi nas uczniami. Tyle że siadamy sobie skromnie w ławeczce gdzieś tam z tyłu klasy. Pierwszą lekcję Wojtek prowadzi w klasie piątej. Tu nietrudno mu o autorytet. Jest starszy. Uzgadniamy wcześniej, że klasa będzie wykonywać ćwiczenia z nauki o języku. Przerabiamy wcześniej z Wojtkiem te ćwiczenia, żeby przypadkiem się nie okazało w czasie lekcji, że „pan" czegoś nie umie. Piątoklasiści są chętni do pisania na tablicy, lekcja upływa więc w atmosferze twórczej pracy. Najaktywniejszych uczniów Wojtek nagradza ocenami, a sam wychodzi z klasy bardzo z siebie zadowolony.

– Chyba mógłbym być nauczycielem – mówi uśmiechnięty.

– Spodobało ci się? – pytam.

– No, fajnie było...

– Fajnie się stawia piątki, zgadzam się z tobą.

– Skoro tak, to po co nauczyciele stawiają dwójki? – Wojtek jest podekscytowany.

Na to pytanie mu jednak już nie odpowiadam, bo w pokoju nauczycielskim toczy się dyskusja na zupełnie inny temat.

Drugą lekcję Wojtek ma w klasie siódmej. Tu czeka go trudniejsze zadanie. Klasa miała na dziś przeczytać nową lekturę. Wojtek ma zrealizować temat: „Świat przedstawiony w *Krzyżakach* H. Sienkiewicza".

Po wejściu do klasy pan Wojtek sprawdza obecność, podaje temat, robi krótkie wprowadzenie, jakie elementy składają się na świat przedstawiony danej powieści. Uczniowie mają to w zasadzie opanowane. Wspólnymi siłami układają plan do zrealizowania i nie mają większych trudności przy opracowaniu pierwszych jego punktów. Ktoś wie, kiedy rozgrywa się akcja, ktoś inny, w jakim miejscu. Jeszcze ktoś inny potrafi wymienić głównych bohaterów. Problem zaczyna się, gdy trzeba w punktach ustalić przebieg wydarzeń. Większość nie potrafi, jak zwykle, odróżnić akcji od fabuły.

– Dobrze! – stwierdza pan Wojtek. – Kto w takim razie opowie nam przebieg wydarzeń w powieści?

Na to hasło zapada głuche milczenie i odtąd będzie ono odpowiedzią na każde pytanie padające z ust nauczyciela. Patrząc z boku, odnieść by można wrażenie, że pan nauczyciel czymś uczniów obraził, w związku z czym weszli w zmowę i dyskusji nie podejmą.

– No kto jest chętny? – nauczyciel bezradnie rozgląda się po klasie.

A kiedy cisza się przedłuża, a milczenie zaczyna robić się uciążliwe, nauczyciel z desperacją otwiera dziennik.

– Marek, Marek Kowalski, proszę...

– Nie przeczytałem, proszę pana – odpowiada ofiara strzału na chybił trafił.

– Dlaczego? – dziwi się nauczyciel.

– Nie dostałem książki, proszę pana. W bibliotece nie było.

– W takim razie Jaworska...

– Nie przeczytałam... – po chwili wahania odpowiada wezwana.

– A ty dlaczego?

– Ja przygotowywałam przedstawienie na dzisiejszą akademię. Nie miałam kiedy... – tłumaczy rozbrajająco szczerze.

– Jacek! – pada kolejna komenda, ale ponieważ Jacków jest dwóch, żaden z nich nie myśli się wyrywać.

– Makowski! – Nauczyciel jest zniecierpliwiony.

– A... to o mnie chodzi. – Wyrwany wstaje z miną niewiniątka. – Myślałem, że pan prosi Lasockiego.

– Tymczasem proszę ciebie.

– To szkoda, bo ja myślałem, że dziś nie zaczniemy omawiać i nie dokończyłem czytać.

– Dlaczego tak myślałeś?

– Bo dziś Dzień Nauczyciela – odpowiada z tryumfem w głosie Makowski.

– W porządku. Skoro nie dokończyłeś, to przynajmniej zacznij...

– Ale ja właściwie dopiero zacząłem...

W tym momencie stwierdzam, że nauczyciel patrzy błagalnym wzrokiem na mnie, ja jednak udaję, że mnie nie ma.

– Baśka... – ton głosu nauczyciela jest już niemal błagalny.

– Ja się wstydzę, ja wolę napisać... – odpowiada Baśka.

– Skoro tak, zrobimy inaczej. – Ton głosu nauczyciela nabiera stanowczości. – Proszę się podzielić na czteroosobowe grupy.

A kiedy uczniowie wykonują polecenia, nauczyciel wydaje następne.

– Każda grupa w ciągu dziesięciu minut układa przebieg wydarzeń w punktach. – Grupa, która ułoży najlepszy plan, otrzyma pozytywne oceny.

To mobilizuje uczniów do pracy, natomiast nauczyciel wyczerpany opada na biurko. Nie muszę wytężać umysłu, by przewidzieć, co powie Wojtek, kiedy wyjdzie z tej drugiej lekcji.

Na trzeciej lekcji idę z Marcinem na przyrodę do piątej. To będzie dla niego bułeczka z masłem. Chłopaka interesuje natura i miło słuchać, jak wiele wie o otaczającym go świecie. Sam jestem ciekaw, w jakiej dziedzinie będzie się rozwijał, póki co bowiem nie zdecydował o przyszłym kierunku kształcenia. Najlepiej byłoby chyba, żeby poszedł do ogólniaka i miał jeszcze czas na podjęcie decyzji o przyszłości.

Ten dzień przynosi nam bardzo ciekawe doświadczenie. Wśród uczniów ósmej klasy obserwujemy wiele pozytywnych zmian. Dotyczą one w szczególności tych, którzy sami prowadzili lekcje. Zdają się o wiele lepiej teraz rozumieć relacje nauczyciel – uczeń, a na pewno przestają myśleć stereotypowo. Dostrzegają, że niekoniecznie nauczyciel jest zawsze „oprawcą", uczeń zaś „niewinną ofiarą". Zaczynają widzieć, że nauczyciel to zwykły człowiek, który przeżywa radości i rozczarowania związane z wykonywaną pracą, a oceniając uczniów nierzadko dokonuje trudnych wyborów. No, ale jak tu się dziwić uczniom. Właśnie takie stereotypowe myślenie o zawodzie nauczyciela ma znacząca część naszego społeczeństwa. Mnie samego nierzadko znajomi prowokują kontrowersyjnymi opiniami.

– Ty to masz dobrze... Posiedzisz za biureczkiem, nie narobisz się, a ile masz wolnego...

Naturalnie, że jest to jakaś prawda. Nie jest to jednak cała prawda i prawda jedyna. W takich razach zwykle złośliwie odpowiadam:

– Trzeba było się uczyć na nauczyciela...

Kiedy pozazdrościłem pisarzom sławy, sam zacząłem pisywać książki. I proszę w tym momencie nie krytykować mojego pisarstwa, podobnie jak ja nie staję w tej chwili w obronie wszystkich nauczycieli.

Dziękuję.

◇ ◇ ◇

Pod koniec roku szkolnego postanawiam sprawić swoim uczniom pożegnalną niespodziankę. Obiecuję zabrać ich w czerwcu na Dni Warmińskie rokrocznie obchodzone w moim mieście. Spodziewam się, że z mojej propozycji skorzystają chętnie.

– Co to za niespodzianka? – Julka nie może się doczekać, kiedy wyjaśnię, o co chodzi.

– Zgadnijcie – świadomie podtrzymuję napięcie. – Kiedyś już o tym rozmawialiśmy.

– No, ale kiedy? – zaczyna się też niecierpliwić Wojtek.

– Obiecywałem, że jak zasłużycie, na pożegnanie zabiorę was...

– Do Branborka! – Wojtek doznaje olśnienia. – Na koncert! – wykrzykuje.

– Zgadza się – potwierdzam. – Jest tylko jedno małe „ale".

– Co takiego? – moja uwaga wzbudza w uczniach niepokój.

– To sprawa oczywista. Nie wezmę ze sobą nikogo, kto będzie zagrożony dwójką z jakiegokolwiek przedmiotu.

– Eee tam – bagatelizuje sprawę Marcin.

– Dla kogo „ee tam", to „eee tam" – przedrzeźnia go Wojtek. – Myślisz tylko o sobie – wyrzuca Marcinowi.

– Panowie, to ma być nagroda – próbuję pogodzić chłopaków. – Nagrodę zaś, jak mi wiadomo, otrzymuje się w dowód uznania za coś. Mam nadzieję, że nie wymagam zbyt wiele... Czy wszyscy się zgadzają?

– Tak! – Klasa odpowiada chórem, ale tym razem nie jest to chór zgodny, bowiem jedni słowo „tak" wypowiadają z większym, inni zaś z mniejszym zapałem.

– Proszę pana, a kto zagra tym razem na koncercie? – pyta Elka.

– O ile mi wiadomo, tym razem będzie to Golden Life i Kasia Kowalska.

– Kasia, jak Kasia, ale na Golden Life, to ja bardzo chętnie – stwierdza Wojtek.

– A ja lubię Kasię Kowalską – oburza się Julka.

– I o to właśnie chodzi, moi drodzy – wtrącam się. – O to chodzi, żeby każdy znalazł coś dla siebie. Bo przecież tam będzie jeszcze wiele innych rzeczy. Wystąpi na przykład także Marcin Daniec.

– Super! – to cieszy dla odmiany Marcina.

– Ale będą też występy przygotowane przez młodzież różnych szkół.

– Fajnie będzie – cieszy się Olka.

– Pod jednym warunkiem – ostrzegam.

– Jakim? – Znowu zasiewam ziarno niepokoju.

– Musicie przygotować się na spartańskie warunki.

– Nie musimy spać – woła Wojtek.

– Jakoś się urządzimy – zapewniam. – Musimy jednak jechać przygotowani, jak na biwak. Mój dom, w którym się ulokujemy, jest w stanie surowym, więc potrzebne nam będą koce i materace, a część osób rozbije pod domem namioty.

– To super! – cieszy się Wojtek. – To jeszcze lepiej! Ale to będzie przygoda...

Zanim jednak ruszamy po przygodę, pojawia się jeszcze pewien kłopot. Kłopotów nieoczekiwanie przysparza Rafał. Pod koniec maja przestaje chodzić do szkoły. Początkowo mnie to nie niepokoi. Najpierw pojawia się zwolnienie lekarskie. Potem jest usprawiedliwienie od rodziców, wreszcie jednak zaczynają się nieobecności, których już nawet rodzice usprawiedliwiać nie chcą. Poproszeni przeze mnie o rozmowę, nie potrafią powiedzieć, o co chodzi. Sami nie wiedzą, co się dzieje z Rafałem, i bardzo się martwią. Staje się jasne, że muszę za wszelką cenę z nim porozmawiać. Wcześniej jednak wykorzystuję metodę w takich wypadkach wielokrotnie już wypróbowaną i często niezawodną. Rozmawiam na temat Rafała z resztą grupy.

– Co się dzieje z Rafałem? – pytam. – Może ktoś z was zna przyczynę jego dziwnego zachowania.

Tym razem jednak grupa milczy. Dziewczyny wzruszają ramionami, a Marcin w imieniu chłopców mówi, że nie wie, o co chodzi. Sprawa zaczyna wydawać mi się podejrzana, nie umiem bowiem w tym wszystkim dostrzec ani krzty logiki. Odnoszę natomiast wrażenie, że kiedy się mamy rozejść, Wojtek jakby się ociąga. Postanawiam dać mu szansę, sam jeszcze nie wiem zresztą na co.

– Wojtek!

– Słucham...

– Mam do ciebie jeszcze sprawę na osobności. Zostań na chwilę.

Kiedy inni odchodzą, pytam:

– Chciałeś mi jeszcze coś powiedzieć?

– I tak, i... nie... – na twarzy Wojtka maluje się wahanie.

– A to dlaczego? – wyrażam zdziwienie.

– Bo ja chyba wiem, co dzieje się z Rafałem... – odpowiada Wojtek.

– Dlaczego więc nic nie powiedziałeś? – tym razem jestem zdumiony.

– Rozmawiałem z nim...

– I co? – niecierpliwię się.

– Dałem słowo, że nic nie powiem...

Sytuacja się komplikuje. Nie chcę, żeby chłopak, rozmawiając ze mną, czuł, że postępuje wbrew sobie. Mam jednak wrażenie, że tym razem koleżeńska solidarność nie pójdzie nikomu na dobre, a już z pewnością nie Rafałowi.

– Wojtek! – próbuję zagadnąć z innej beczki. – Jak tak dalej pójdzie, Rafał nie zda i nie ukończy w tym roku szkoły. Czy rzeczywiście znasz powód, dla którego on postanowił to zrobić? – pytam i nie pozwalam chłopcu odpowiedzieć. – Jeśli natomiast znasz sposób, w jaki można mu pomóc, aby do tego nie doszło, podpowiedz mi, a uratujemy go wspólnymi siłami.

– Myślę, że znam – widać, że chłopiec walczy ze sobą.

– Obiecuję, że sprawa zostanie między nami.

– Jemu grozi dwójka z matematyki i wie, że nie pojedzie z nami na koncert do Branborka...

– A to dopiero! – łapię się za głowę... – Przecież w ten sposób o mało nie zawalił szkoły...

– On bardzo chciał z nami jechać...

– No przecież by pojechał – mówię i nagle przypominam sobie własne słowa wypowiedziane kilka tygodni wcześniej.

Spoglądam na Wojtka.

– Sam pan powiedział – mówi Wojtek.

– Tak, pamiętam... Nie pomyślałem jednak... – Sam nie wiem, co powiedzieć.

– On też zapamiętał...

– Wojtek! – mówię stanowczym głosem. – Naprawdę dobrze zrobiłeś, że mi to powiedziałeś. – W geście wdzięczności ściskam rękę chłopaka.

Jedzie kilkanaście osób, więc nie cała klasa, i to moje szczęście, bo z mniejszą grupą będzie mi łatwiej poruszać się w tłumie. Spoza klasy dołącza do naszej grupy jeszcze Kaśka, tym razem pozwalam jej na to, bo okoliczności wyjazdu do Warszawy były zupełnie inne. Święto Branborka trwa dwa dni. Rozpoczyna się w piątek po południu, kończy w sobotę późną nocą, wyjeżdżamy więc w piątek po lekcjach. Podróż trwa trzy godziny, około osiemnastej jesteśmy już na miejscu. Wszyscy moi uczniowie są tu pierwszy raz, ciekawi ich więc wszystko. Kiedy po przejściu przez całe niemal miasto od dworca kolejowego do centrum docieramy wreszcie do miejskiego amfiteatru, dzieciaki są zachwycone. Amfiteatr rzeczywiście jest ze względu na swoje położenie urokliwy. Usytuowany jest w fosie okalającej dawne mury obronne średniowiecznego miasta. Scenę otacza woda basenu z fontannami, a naprzeciw sceny, niczym w antycznym amfiteatrze, umiejscowione są pnące się w górę ławki dla widowni.

– Ile tu ludzi! – Nieprzebrane tłumy zgromadzone w amfiteatrze robią na Julce duże wrażenie.

– Ławek już dla nas na pewno nie starczy – zauważa Wojtek.

– O to się nie martwcie – pocieszam dzieciaki. – W trakcie koncertu nawet ci, którzy mają miejsca, wstaną i będą zasłaniać widok innym. I tak wszyscy będą stali.

– No i dobrze – cieszy się Marcin. – Przynajmniej nikt nikomu nie zajmie miejsca.

– I tu się mylisz – żartuję. – Nawet stojącego miejsca trzeba będzie pilnować. Chwila nieuwagi i już ktoś stoi ci przed nosem.

– Fajnie jest w takim ścisku. – Wojtek puszcza oko do Kaśki.

– Może i fajnie – stwierdzam. – Musicie jednak pamiętać o tym, by nie zabierać ze sobą portfeli i dokumentów.

– Mamy iść bez pieniędzy? – Wojtek jest zdziwiony.

– Z drobnymi w kieszeni – odpowiadam. – Tyle na pewno wam wystarczy. Nie warto ryzykować, że ktoś komuś coś ukradnie.

Po krótkim odpoczynku ruszamy dalej. W ciągu dziesięciu minut jesteśmy na miejscu. Chłopcy rozbijają pod domem trzy namioty. W domu rozlokowujemy dziewczyny. Mają dla siebie miejsce w prowizorycznie urządzonym pokoju. Drugi, bardzo podobny, zajmuję ja sam. W ciągu godziny jesteśmy urządzeni i wyruszamy na koncert.

– Idziemy grupą i trzymamy się grupy – nakazuję. – Nikt nie oddala się bez mojej wiedzy i zgody.

– Trzymamy się za ręce... – żartuje sobie Wojtek.

– Za ręce czy nie, pozostajemy w grupie – obstaję przy swoim. – W takim tłumie dzieją się różne rzeczy, a ja odpowiadam za was głową.

I już wyobrażam sobie, co by to było, gdyby tak którakolwiek z moich dziewczyn trafiła sam na sam na bandę podchmielonych wyrostków, a przecież wiele się o takich rzeczach słyszy. Skutek takiego spotkania mógłby być odwrotnością szczytnego celu, jaki sobie postawiłem, przywożąc tu dzieciaki, by zwieńczyć w ten sposób ładnych kilka lat naszego bycia razem. A takie spotkanie z podobną bandą jednego z moich chłopców? Mogłoby się skończyć równie tragicznie. I nagle staje mi przed oczami obraz skrzywdzonej Julki i pobitego do nieprzytomności Wojtka i włos mi się jeży na głowie.

„Wielkie nieba – myślę w duchu. – A po co mnie to było. Po kiego czorta ja ich tu przywlokłem. Narażając te niewinne istoty na śmiertelne niebezpieczeństwo, sam siebie obarczam nadludzką odpowiedzialnością".

I widzę tę Julkę albo tego Wojtka skrzywdzonych, otoczonych tłumem gapiów, i siebie widzę, jak podbiegam, próbuję ratować, ale jest już przecież za późno. I widzę twarze pozostałych uczniów i ich oczy wpatrzone we mnie z wyrzutem, a potem ambulans i na końcu radiowóz. Nareszcie czuję smak złej sławy i rozsądne głosy wielu serdecznych moich przyjaciół, którzy tyle już razy tłumaczyli mi, że dobrymi chęciami jest wybrukowane piekło. Przewiduję przedwcześnie zgasłą, dobrze się zapowiadającą, pedagogiczną karierę, przeczuwam wstyd, jaki czuć będę, sprawiając tak wielki zawód wszystkim tym, którzy głęboko we mnie dotychczas wierzyli. Kto wie, co dostrzegłbym jeszcze, gdyby mnie nagle nie przywrócił do rzeczywistości głos Wojtka.

– Czy panu coś jest?

– A, to ty Wojtuś... – przyglądam się Wojtkowi, jakbym go widział pierwszy raz w życiu.

– No, ja... A kto właściwie miałby być? – Wojtek jest zaskoczony.

– A Julka? Z Julką też wszystko w porządku? – pytam.

Tym razem Julka jest zaskoczona.

– No jasne, to pan nie słyszy naszych pytań.

– A tak, trochę się zamyśliłem – przyznaję. – To na czym stanęliśmy?

– Że mamy się trzymać razem – odpowiada Julka.

– Tak jest – stwierdzam. – Bezwzględnie.

– A ja pytałem, czy moglibyśmy już iść – stwierdza Wojtek.

– Więc chodźmy – zarządzam.

W duchu zaś myślę, że skoro sprawy zaszły już tak daleko, to pójdźmy.

Do występu gwiazdy wieczoru jeszcze ponad godzina. To dlatego udaje nam się sporą grupą wmieszać w coraz bardziej gęstniejący tłum. Ludzi przybywa z minuty na minutę, a moje dzieciaki już gdzieś posłyszały, że inne małolaty szykują się na próbę zdobycia autografu Kasi Kowalskiej. No i się zaczyna.

– Proszę pana, a może zejdziemy bliżej sceny, tam gdzie jest wjazd dla artystów... – proponuje Julka.

– Jeśli zejdziemy, tak dobrego miejsca, jakie mamy teraz, możemy już nie dostać – przestrzegam.

– Znajdziemy jakieś... – upiera się Julka.

– Może dostaniemy autograf... – Po stronie Julki opowiada się Olka.

– Dajcie spokój! – upomina dziewczyny Wojtek.

– Co chcesz? – broni się Julka. – Chciałabym mieć autograf Kasi. A ty nie chciałbyś Goldenów?

– Nie, ja bym nie chciał – Wojtek przedrzeźnia Julkę. – Niby po co mi to?

– Żeby mieć! – wtrąca się do rozmowy Olka. – To takie dziwne?

– Pewnie, że dziwne – głos zabiera Marcin. – Wrzucisz to gdzieś do szuflady i tyle...

– Jasne, że nie zjem – złości się Olka. – A może dostanę jakiś plakat, pomyślałeś?

– Powodzenia – kwituje to Wojtek. – I powieś go sobie na słomiance.

– Moi drodzy, wasza kłótnia prowadzi donikąd – postanawiam podjąć interwencję. – Każdy ma prawo lubić, co chce, choćby to było zbieranie autografów.

Nie w tym jednak rzecz. Wątpię, aby udało wam się zdobyć podpisy, z pewnością za to stracimy dobre miejsca.

– A może się uda... – Julka nie traci woli walki.

– Mówię, że wątpię, ponieważ słyszałem, że nawet tam wykorzystuje się znajomości. Ochroniarze wpuszczą kogoś, jeśli chcą, jeśli nie chcą, z pewnością nie wpuszczą.

Już wkrótce okaże się, że słowa te wypowiadam w złą godzinę.

Zbliża się dwudziesta pierwsza, ale jak zwykle o tej porze roku, jest jeszcze zupełnie jasno. Na scenie pojawiają się muzycy towarzyszący Kasi Kowalskiej i zaczynają stroić instrumenty. Atmosfera robi się coraz bardziej gorąca. Licznie zgromadzeni fani Kowalskiej zaczynają skandować:

– Kasia! Kasia!

Tłum zaczyna falować, a póki nie rozpocznie się koncert, ludzie kręcą się jak we młynie.

W pewnym momencie spostrzegam, że nie ma Olki i Julki.

– Gdzie są dziewczyny? – pytam.

– Poszły do toalety – pośpiesznie odpowiada Kaśka, a pośpiech ów natychmiast budzi moje podejrzenia.

– Na pewno? – żądam potwierdzenia.

– Taak – otrzymuję zbiorowe zapewnienie.

– No, mam nadzieję, bo... – I zdania już nie kończę, grożę tylko dzieciakom palcem.

Dzieciaki natomiast pośpiesznie zmieniają temat.

– Oglądał pan już kiedyś koncert Kasi albo Goldenów? – pyta Wojtek

– Nie, nie miałem takiej okazji – wyznaję szczerze. W sumie to byłem tylko na kilku koncertach w czasie studiów.

– Ja nie byłem jeszcze na żadnym koncercie – stwierdza Wojtek.

– Ani ja – przyznaje się Kaśka.

– Ja też nie – mówi Marcin.

Okazuje się, że nie licząc występów pojedynczych wokalistów w domu kultury, na koncercie z prawdziwego zdarzenia nie był nikt. Tym większe jest to przeżycie dla wszystkich, także i dla mnie, bo z wrodzonego wygodnictwa koncerty najbardziej lubię w telewizji.

Zagadywany przez dzieciaki, nie tracę wszakże czujności i w końcu orientuję się, że nieobecność dziewczyn zanadto się przedłuża.

Kiedy chcę iść dziewcząt szukać, Kaśka przyznaje się, że wie, iż Julka i Olka poszły po autograf. Jestem bardzo niezadowolony.

– Jak one się tu teraz do nas w tym tłoku dopchają?

– Dadzą radę, proszę pana – zapewnia mnie Wojtek.

– Trzeba było przynajmniej pójść z nimi – wypominam Wojtkowi.

– Przecież by się pan nie zgodził – stwierdza chłopak.

– Co prawda, to prawda – przyznaję nie tylko w duchu. – Jeżeli będziecie robić, co wam się podoba, to jutro wyjeżdżamy – ostrzegam.

– A jeśli będziemy grzeczni, to zostaniemy do poniedziałku? – Wojtek próbuje brać mnie pod włos.

– Nie, dowcipnisiu. Najwyżej do niedzieli.

W tej chwili pojawiają się rozpromienione dziewczyny.

– No, panienki, czeka was kara za niesubordynację – zapowiadam.

– O rany! – Wojtek łapie się za głowę. – A co to takiego?

– To taki rodzaj tortur – odpowiadam złośliwie.

– Ale, proszę pana, udało nam się – Julka zaczyna się chwalić, jak gdyby nigdy nic.

– Co wam się udało? – Nie od razu rozumiem, o co chodzi.

– Autograf! – krzyczy Olka. – Zdobyłyśmy autograf.

– W jaki sposób? – pytam, choć robię to niepotrzebnie, bo jedna przez drugą opowiadają już wszystkim, jak to się odbyło.

– Tam przy bramce stał ochroniarz – mówi Julka.

– To była straż miejska – dodaje Olka.

– No i myśmy do niego podeszły i wytłumaczyłyśmy, że przyjechaliśmy z daleka.

– Z naszym nauczycielem, który tu kiedyś mieszkał – uzupełnia Olka.

– No i on się zapytał, jak pan się nazywa...

– Oczywiście podałyście moje imię i nazwisko? – Jestem zdumiony.

– No tak – wyznaje Olka z rozbrajającą szczerością.

– A on się uśmiechnął i mówi, że jest pana kolegą z klasy z liceum.

– Coś podobnego! – Słucham z coraz większą uwagą. – I co było dalej?

– Wpuścił nas i kazał pana pozdrowić – mówi Julka, a Olka dodaje:

– Powiedział: pozdrówcie pana Marka od Łukasza, na pewno będzie wiedział, o kogo chodzi.

– Wie pan? – Julka jest bardzo ciekawa.

– Tak, wiem, jestem pewien, że wiem, o kogo chodzi. Był najwyższy z całej klasy.

– Tak, jest bardzo wysoki – potwierdza Olka.

– Ale miałyście farta – podsumowuje Kaśka, a Wojtek dodaje:

– Gdzie diabeł nie może, tam babę pośle...

Ponieważ na scenę wychodzi Kasia Kowalska, koncentrujemy się już na słuchaniu.

Tymczasem zapada zmrok, wokół gęstnieje tłum i robi się naprawdę ciasno. Światła reflektorów padają na scenę, na której prócz Kasi znajdują się także towarzyszący jej muzycy, ale wzrok przyciągają też efekty dymne. Widownia faluje w rytm muzyki, a kiedy wokalistka śpiewa swój największy przebój zatytułowany: *Jak rzecz*, Olka ma łzy w oczach.

– Proszę pana, ja jeszcze nigdy w życiu nie byłam na takim koncercie – krzyczy mi w ucho.

– Rozmawialiśmy o tym, kiedy się samowolnie oddaliłyście – przygryzam Olce. – Nikt nie był.

– Ale nam pan zrobił prezent...

– A wy w ramach wdzięczności nie słuchacie mnie...

– Niech się pan nie gniewa. Taka okazja może nam się już nigdy nie trafić...

– Pogadamy o tym później.

Koncert trwa ponad godzinę. Piosenkarka daje się dwa razy namówić na bis. Rozbawiony tłum zaczyna rozchodzić się około północy. My także się zbieramy. Im bliżej domu, tym więcej pojawia się głosów, że trzeba zrobić kolację. Ja o tej porze nie jadam, ale młodzież ma prawo być głodna. Przewiduję, że wszyscy położą się koło pierwszej w nocy. A niech tam. Nie musimy rano wstać. Interesujący program zaczyna się dopiero po południu. Pomagam dzieciakom zrobić herbatę. W domu jest kuchenka elektryczna, zresztą prąd i światło są tylko w jednym pomieszczeniu. Podobnie jest z wodą. Kiedy wreszcie kładę się spać, długo jeszcze słyszę rozmowy podekscytowanych dzieciaków i raz po raz budzą mnie wybuchy śmiechu. Położyli się koło pierwszej, ale o której zasną, to zupełnie inny temat.

Na drugi dzień nie zrywamy się z samego rana – małolaty z wiadomych powodów, a ja, ponieważ nie mogłem przez nich zasnąć. Po porannej toalecie, która przebiega w prymitywnych warunkach, bierzemy się wspólnie za przygotowanie śniadania. Robimy to, co najprostsze. Oczywiście gotujemy na maszynce elektrycznej wodę na herbatę, ale także rozpalamy ognisko, żeby upiec kiełbaski. Sklep mamy bardzo blisko, można więc kupić to, czego komu brakuje, jednakowo wędliny czy pieczywo. Co głodniejsi jedzą ledwie podgrzane kiełbaski, inni palą je niemal na węgiel, ponieważ im pilno do konsumpcji. Jeden Wojtek celebruje czynność przygotowania kiełbaski do pieczenia.

– Piec kiełbaskę trzeba umieć – chwali się chłopak. – Jeśli się ją odpowiednio natnie, upiecze się lepiej i będzie apetycznie wyglądać – opowiada, nacinając kiełbasę w wielu miejscach na krzyż.

– Ja tak zrobiłam – mówi Julka i w tym momencie jej kiełbaska spada z kija i ląduje w ogniu.

Wszyscy się śmieją, a Julka robi obrażoną minę.

– Ratujcie śniadanie Julki! – wołam. – Przecież to się jeszcze da zjeść...

– Nie chcę – stwierdza obrażona Julka, a natychmiast pojawia się ochotnik.

– Jak nie chcesz, to ja się nią zajmę! – zgłasza się Marcin.

Kiedy wszyscy kończą już jeść kiełbaski, Wojtek nadal opieka swoją. Wreszcie uznaje, że upiekł ją należycie, kładzie na prowizorycznym stole i oddala się po herbatę. I kiedy wydaje się, że nikt nie jest już zaciekawiony Wojtkową kiełbaską, chwilę jego nieuwagi wykorzystuje pies sąsiada: podbiega zupełnie nieoczekiwanie, chwyta ją i ucieka co sił w łapach.

– Wojtek! – krzyczy Rafał, który pierwszy dostrzega złodzieja. – Twoja kiełbasa!

Wojtek rzuca się natychmiast w pościg za złodziejem, ciskając weń w biegu czym popadnie, szans na to, by dopaść uciekiniera, nie ma jednak żadnych. Wściekły i to w dwójnasób, bo koleżanki i koledzy, nie wyłączając niestety także i mojej skromnej osoby, pokładają się ze śmiechu.

– Bardzo śmieszne – stwierdza chłopak, kiedy, nie odzyskawszy utraconego śniadania, powraca do grupy.

– A to pies-smakosz, czekał na najlepszą – żartuje Julka.

– Jak mnie by ktoś tak długo przypiekał, też bym uciekł – śmieje się Marcin.

– Od dziś jesteś mistrzem w pieczeniu kiełbaski – drwi sobie z Wojtka Olka.

– Przestańcie mu już dokuczać – próbuję interweniować, ale i mnie trudno jest się powstrzymać od śmiechu.

– No dobra! Przyjmuję zamówienia. – W końcu zaczyna się śmiać i Wojtek.

Za parę minut pojawia się u nas właściciel psa.

– Dzień dobry – wita się.

– Dzień dobry – odpowiadamy.

– Komu jestem winien kiełbasę? – pyta.

A kiedy widzi nasze zdziwione miny, dodaje:

– Widziałem, jak mój pies uciekał od was z kiełbasą w pysku...

– Ach tak – śmieję się. – To jest poszkodowany wskazuję na Wojtka.

– Nie wiem, czy jest taka dobra jak twoja, ale oddaję, co ukradł ten czworonożny złodziej i przepraszam – podaje zawiniętą w woreczek foliowy wędlinę.

– Nie trzeba – Wojtek robi się purpurowy.

– Weź, należy ci się – śmieje się sąsiad. – No już nie wymagaj ode mnie, żebym ją upiekł.

– Nie, nie – wtrąca się Marcin. – On sam jest mistrzem w pieczeniu – dorzuca, a wszyscy znów łapią się za brzuchy.

Przez resztę dnia nie dzieje się już nic bardziej zabawnego. Najważniejszy jest odbywający się późnym wieczorem koncert zespołu Golden Life. Czekają nań z niecierpliwością zwłaszcza chłopcy. Ale wśród zgromadzonych w amfiteatrze gorących fanów grupy jest o wiele więcej i są oni o wiele bardziej spontaniczni. Bez wątpienia ich krew podgrzewa także wypite w ciągu dnia piwo, bo zachowują się, najdelikatniej mówiąc, mało rozsądnie. Wyróżnia się kilku. Udaje im się wykiwać ochronę i skaczą raz po raz do wody w basenie otaczającym scenę. Dzieję się to naturalnie za ogólną aprobatą widowni i ku jej uciesze.

– Też bym sobie tak skoczył – krzyczy mi do ucha Wojtek.

– Nie uważasz, że ich zainteresowanie koncertem jest wątpliwe? – pytam go w odpowiedzi.

– W sumie tak – stwierdza.

– Moim zdaniem przeszkadzają innym, odwracając uwagę od koncertu.

– Oni są pijani – stwierdza Kaśka.

W końcu także członkom zespołu ta zabawa zaczyna przeszkadzać. Wokalista przemawia do widowni.

– Kochani! Nad wodą wiszą przewody elektryczne. To, co robicie, jest naprawdę niebezpieczne. Narażacie swoje życie, a ci, którzy znają historię naszego zespołu, wiedzą, że byliśmy już świadkami wielkiego nieszczęścia. Mówi o tym jedna naszych piosenek zatytułowana *24.11.94*. Bardzo prosimy nie skakać już do wody.

– O czym oni mówią? – pyta Wojtek.

– Teraz nie będę wam opowiadać – oświadczam. – Przypomnijcie mi o tym po koncercie.

Tymczasem muzycy wznawiają przerwany koncert, ale już po chwili ponownie pojawiają się uparci skoczkowie. Tym razem zespół przerywa koncert, ostrzegając, że go nie zagrają, dopóki ochroniarze nie uporają się ze skaczącymi do wody młodzieńcami. Trwa dłuższa przerwa, a mokrzy amatorzy skoków zostają odprowadzeni przez straż miejską do policyjnego radiowozu.

– No i co, Wojtuś? Nadal twierdzisz, że miałbyś ochotę tak sobie skoczyć? – pytam złośliwie.

– No, nie. Raczej już nie – śmieje się chłopak.

– Całe szczęście! – włącza się Kaśka. – Inaczej musielibyśmy cię odwiedzić na komisariacie policji.

– Tak. Ostatecznie to ja bym się tłumaczył – zauważam.

Koncert kończy się i zaczyna pokaz sztucznych ogni. Ognie rozbłyskują na niebie nad całym amfiteatrem. Stoimy z nosami zadartymi do góry i zachwycamy się. Fajerwerki są bardzo różne. Rozpryskują się na setki małych iskier wysoko albo wybuchają w ogromne gwiazdy. Chwilami robi się widno, później na moment ciemno i tak na przemian. Iskry są różnobarwne od białych, poprzez żółte, czerwone fioletowe i zielone po złote. Ognie wystrzeliwane są z wieży stanowiącej fragment średniowiecznych murów obronnych przez żołnierzy miejscowej jednostki wojskowej.

– Super! – zachwyca się Marcin.

– Jak w Sylwestra – mówi Wojtek.

– Ja to takie rzeczy widziałem tylko w telewizji – dodaje Marcin.

– Szkoda, że to już koniec całej imprezy – żałuje Julka.

Natomiast ja cieszę się, że zafundowałem dzieciakom taką frajdę. Jest szansa, że będziemy to wszystko długo wspominać i długo pamiętać też siebie.

– Miał pan opowiedzieć nam, co miał na myśli ten z Golden Life... – przypomina Wojtek.

– Rzeczywiście. W 1994 roku ten zespół koncertował w hali Stoczni Gdańskiej. W trakcie koncertu wybuchł pożar. Wielu młodych ludzi, uczestników koncertu, uległo licznym poparzeniom, wszyscy przeżyli straszliwy szok, a ci z poparzeniami twarzy nigdy nie odzyskali już swojego dawnego wyglądu.

– To okropne! – Olka jest wstrząśnięta.

– Teraz rozumiem, co chciał powiedzieć ten wokalista – stwierdza Wojtek.

– Z całą pewności wiedział, co mówi – dopowiadam. – To była prawdziwa tragedia. Przypominacie sobie słowa refrenu tej piosenki?

– Nie – stwierdzają zgodnie.

Przypominam im więc:

– „Życie choć piękne tak kruche jest,
Zrozumiał ten, kto otarł się o śmierć".

Na chwilę zapada milczenie.

◊ ◊ ◊

Rafał ciężko pracuje, żeby poprawić matematykę. Kilku innych uczniów też ma kłopoty z zaliczeniem poszczególnych przedmiotów. Stawiam sobie za cel dopilnować, by wszyscy jednak zdali. Także Mariusz. I cel ten udaje się zrealizować. Na zakończeniu ósmej klasy uczniowie są w komplecie. Uroczystość tradycyjnie organizuje klasa siódma. Pożegnanie przybiera charakter stylizowanej na amerykańskich filmach akademii odbywającej się na zakończenie przez uczniów college'u. Najpierw przemawia dyrektor szkoły. Rolę dyrektora gra najlepiej zbudowany i najbardziej elokwentny z chłopców w klasie siódmej. Rozpoczyna:

– Szanowni rodzice, nauczyciele i uczniowie. Ten rok w historii naszej szkoły jest szczególny. Pod opieką profesora Marka Radeckiego wykształciliśmy w ciągu ostatnich kilku lat liczne grono naukowców. Uczeni ci nie tylko stworzyli wiele nowych teorii naukowych, są autorami znakomitych prac, ale także obronili się przed państwową komisją egzaminacyjną. Nasi naukowcy zastosowali różne techniki obrony. Oto Wojciech Podolski.

Na scenie pojawia się czteroosobowa komisja, której przewodniczy ktoś przebrany za mnie, i wchodzi uczeń próbujący wyglądem naśladować Wojtka. Ów Wojtek rozgląda się, robiąc z ręki daszek, kluczy, sprawia wrażenie, jakby przed komisją uciekał, ta zaś tropi go i próbuje dogonić. W końcu zrezygnowana wraca do stołu. Natomiast zwycięski Wojtek tryumfująco wraca na scenę. Ma na głowie, jak wszyscy inni aktorzy grający ósmoklasistów, charakterystyczną, zrobioną z tektury i pomalowaną na czarno, czapeczkę z wstążeczką.

– Najpierw przyznamy tytuł przewodnika turystyki pieszej i specjalisty wycieczek okrężną drogą, który nawet swojego wychowawcę potrafi wywieść w pole. Po odbiór dyplomu zapraszamy Wojciecha Podolskiego.

Tym razem proszą prawdziwego Wojtka, a ten, bynajmniej niestremowany, wychodzi na scenę, unosząc ramiona i kłaniając się publiczności.

To właśnie interesuje mnie równie mocno jak samo przedstawienie. Bo to moi uczniowie dotychczas najczęściej byli aktorami, dziś natomiast ktoś inny odgrywa ich role. Jestem ogromnie ciekaw, jak to znoszą, na ile potrafią się do siebie zdystansować, na ile potrafią się sami z siebie śmiać.

Dyrektor kontynuuje przemówienie.

– Oto bardziej kobieca forma obrony.

Na scenę wkracza dziewczyna łudząco przypominająca Julkę. Naturalnie ma włosy upięte w kucyki. Julka mówi. Czyta chyba fragment jakiej książki krytycznoliterackiej, modulując głos tak, że jego ton po chwili staje się już męczący, a zaraz potem zaczyna drażnić. Komisja bezskutecznie próbuje jej przerwać, kuli się i więdnie, próbuje osłaniać dziennikami, wreszcie jej członkowie, na czele ze mną, naciągają sobie na głowy marynarki czy swetry. Trwa to nie dłużej niż dwie minuty, wyraźnie widać jednak, że Julka wcale nie zamierza przestać.

Interweniuje dyrektor.

– Po odbiór dyplomu zapraszamy gadułę wszech czasów, uczoną, która zawsze wie, bo jeśli nawet czegoś nie wie, to wie, dlaczego nie wie. Uczoną, która urodziła się, by uczyć innych, która jest na najlepszej drodze do opracowania teorii, jak w praktyce zastosować metodę ulepszania ucznia, która stanowi potencjalną kandydaturę do Nobla w dziedzinie pedagogiki, jeśli ktoś kiedyś zechce jej takiego przyznać. Julia Martyńska!

Prawdziwa Julia wychodzi na scenę, odbiera dyplom i chociaż dyrektor broni mikrofonu jak niepodległości, ostatecznie wydziera mu go.

– Czy mogę chociaż kogoś pozdrowić? – pyta.
I nim jej ktokolwiek zdoła przeszkodzić, zaczyna.
– Pozdrawiam wszystkie koleżanki i kolegów z klasy, mojego wychowawcę, pana Marka, i innych nauczyciel z naszej szkoły...
A kiedy wkraczający do akcji dyrektor, po krótkiej walce, w której miał jednak zdecydowaną przewagę, odbiera wreszcie Julce mikrofon, ta zdąży jeszcze krzyknąć:
– No i oczywiście mamusię i tatusia...
– Inni też chcą skończyć szkołę – komentuje dyrektor.
Na scenę wpada ktoś przebrany za żołnierza. Nie od razu udaje mi się rozpoznać, kogo ów żołnierz miałby tutaj przedstawiać. Ten natomiast wykonuje gesty, jakby się okopywał, następnie rozciąga jakiś drut, robiąc zasieki, wreszcie ustawia plastykowy karabin, którego lufa wycelowana jest w komisję, a sam układa się wygodnie w okopie i zabiera za czytanie książki.
Reakcja komisji zrazu jest nerwowa, kiedy jednak z zachowania żołnierza nie wynika dla niej żadne zagrożenie, jej członkowie, a zwłaszcza członkinie, uspokajają się. Panowie odruchowo szukają jakiejś broni, ale tylko mój sobowtór znajduje w kieszeni marynarki składany scyzoryk. Po chwili uspokojenia wśród członków komisji zaczyna panować zniecierpliwienie i próbują to jeden, to drugi wychylić się w stronę atakującego, by sprawdzić, co on tam właściwie robi. A on z członków komisji nie robi sobie nic. I dopiero teraz moją uwagę przykuwa pewien szczegół, książka, której lekturą się zajął, to atlas ryb akwariowych. W końcu komisja poddaje się, wywieszając białą flagę.
Na scenę wkracza dyrektor i mówi:
– Po odbiór dyplomu prosimy najbardziej niedostępnego z uczonych, najbardziej tajemniczego, zamkniętego w sobie, oddającego się kontemplacji, samowystarczalnego i nieprzystępnego, a tym samym najbardziej intrygującego dla innych, budzącego ciekawość zwłaszcza płci odmiennej. Marcin Jasiński.
Reakcje Marcina ograniczone są oczywiście do minimum. Wszystko przyjmuje ze stoickim spokojem, wychodzi, odbiera dyplom i siada na miejsce. Cała ta afera robi na nim niewielkie wrażenie, a jeśli nawet robi nieco większe, to umie je zatrzeć i zamaskować.
Tymczasem na scenie pojawia się nowa dekoracja. Zostaje wniesiona atrapa wieży, a za chwilę pojawia się w jej wnętrzu uwięziona księżniczka wymachująca białą chusteczką. Księżniczka przez jakiś czas wzywa pomocy, rozglądając się po widowni.
– Ratunku! Pomocy! Czy znajdzie się ktoś, kto wybawi mnie z tej opresji? – wskazuje na wielce szanowną komisję, która jej zachowaniem zdaje się zbulwersowana, a nawet oburzona.

Kiedy przewodniczący komisji zdecydowanie żąda, by opuściła wieżę, zupełnie niespodziewanie na scenę wjeżdża konno (na trzonku od miotły) dzielny rycerz, uwalnia księżniczkę zniewoloną przez członków komisji egzaminacyjnej. Księżniczka z miną zwycięzcy spogląda w kierunku komisji i w towarzystwie rycerza opuszcza scenę, a dyrektor przemawia.

– Po odbiór dyplomu prosimy uczoną, która z każdej opresji potrafi wyjść obronną ręką, potrafi odnieść sukces w każdej sytuacji, pokonać wszelkie trudności i niczym mityczny Tezeusz trafić po nitce Ariadny do kłębka. Aleksandra Frankowska.

Olka, wychodząc na scenę, robi zdegustowaną minę, jakby chciała powiedzieć:

– Też coś. Aleście wymyślili!

Wydaje się jednak, że coś z prawdy w tej charakterystyce siódmoklasiści zdołali zawrzeć.

Po chwili, kiedy na scenie nie dzieje się nic, nagle ciszę przerywa dźwięk gitary i rozlega się śpiew Elvisa Presleya. Nietrudno się domyślić, że będzie chodziło o Pawła. I rzeczywiście. Na scenie i przed komisją pojawia się ubrany w niebieską koszulkę z kapturem i noszący do ramion kasztanowe włosy chłopak. Tu nie może być przypadku. Paweł wyraźnie śpiewa dla komisji. Muzyka jest raz agresywna, raz słodka jak miód. Gitarzysta to potrząsa głową, to znów przed komisją klęka na jedno kolano. Wokalista tak długo męczy komisję, aż ta zaczyna mieć dość koncertu. Znów na scenę wkracza dyrektor – konferansjer.

– O odbiór dyplomu prosimy Pawła Jędrzejowskiego.

Wchodzi Paweł, a sala wita go oklaskami, zdobył już bowiem w szkole uznanie jako gitarzysta i trochę nieśmiały bard. Ktoś z sali dla żartu woła:

– Bis!

Paweł jednak zmyka ze sceny równie szybko, jak się na niej pojawił. Za to wkracza na nią chłopak niewielkiego wzrostu, który kojarzy mi się z Rafałem. Chłopak ma na sobie strój judoka czy też karateki. Wychodząc przed widownię, wydaje charakterystyczny okrzyk, a następnie przybiera pozę, jakby był gotowy do podjęcia walki. W tym momencie na scenie pojawia się jeszcze dwóch asystentów karateki, którzy układają na dwóch stołkach deskę. Domyślamy się, że jest to tylko imitacja deski, ponieważ nasz siłacz zamierza się i rozbija ją jednym ciosem otwartej dłoni. Kłania się i znika sprzed oblicza komisji, natomiast dyrektor przemawia.

– Zapraszam po odbiór dyplomu najbardziej niebezpiecznego z uczonych, który opanował wschodnie i zachodnie sztuki walki i mimo że wygląda bardzo niepozornie, dzięki tajnej siłowni, którą sobie wybudował, a następnie wyćwiczył w niej własne ciało i umysł, potrafi obronić każdą postawioną przez siebie tezę naukową. Tym uczonym jest Rafał Kolski.

I tak siódmoklasiści, przypisując łatkę każdemu z ósmej, charakteryzują na ogół zupełnie trafnie osobę po osobie. Nie jest to na szczęście trzydziestu kilku uczniów, jak w większości szkół w mieście, bo w końcu zabawa przestałaby być śmieszna. A przecież uroczystość nie może być tylko na żarty. Ukończenie przez uczniów szkoły podstawowej jest sprawą na wskroś poważną, bo w ich życiu kończy się jakiś ważny etap, a zaczyna nowy. W czasie ogólnej uroczystości najlepsi z moich uczniów otrzymują świadectwa i nagrody książkowe, pozostali na moich pożegnalnym spotkaniu z klasą. Ci najlepsi to Julka, Olka, Marcin i Wojtek. Również uczniowie chcą mnie jakoś pożegnać. Otrzymuję od nich samodzielnie przez nich wykonany pamiętnik ze zdjęciami. Każdy uczeń ma w nim swoją stronę i każdy obok zdjęcia coś dla mnie wpisał. Atmosfera naszego pożegnania jest odświętna. Trudno jest podejrzewać, by dziewczęta i chłopcy nie cieszyli się z tego, że kończą szkołę, ale jest w nich też niepokój o to, co będzie dalej i zdają sobie sprawę, że to, co było, już nie wróci. Tylko dziś jeszcze po południu spotkamy się w komplecie na tak zwanym pożegnalnym balu. Będzie trwać do późnego wieczora, ale kiedy się skończy, opuszczą szkołę i prawdopodobnie w takim gronie już się nigdy nie spotkają. Wiem to po sobie. Kiedy robiliśmy zjazdy koleżanek i kolegów z mojej klasy, zawsze kogoś już brakowało. Trójkę z nich bardzo szybko zabrała śmierć.

Po akademii, a jeszcze przed zabawą taneczną sadzimy w szkolnym ogrodzie pamiątkowe drzewo. Jest to czerwony buk. Wybieramy ten właśnie gatunek, ponieważ jest to drzewo długowieczne.

– Proszę pana, czy z nami również pojedzie pan na egzaminy? – pyta Wojtek.

– Chętnie – odpowiadam. – Ale one będą dla wszystkich jednocześnie. Komu więc miałbym towarzyszyć?

– Wszystkim – śmieje się Wojtek. – Wszystkim, którzy będą jechać do Olsztyna. Chociaż podróż będzie wspólna.

– Tak jak jechaliśmy z Grześkiem – dodaje Julka.

– Nie zapominajcie tylko, że ja muszę się pakować i wyprowadzać – przypominam dzieciakom.

– My przecież panu pomożemy – zapewnia Wojtek.

Wcale w to nie wątpię, że pomogą. Pomogą na tyle, na ile będą w stanie, bo nieraz się już przekonałem, że można na nich liczyć. Czasem dużo bardziej niż na dorosłych.

Spotykamy się o osiemnastej na pożegnalnym balu. Ponieważ będą się bawić dwie klasy, zmieszczą się na naszej małej salce gimnastycznej, dlatego nie organizujemy zabawy w dużej świetlicy wiejskiej. Nauczyciele i przedstawiciele rodziców posiedzą sobie w pokoju nauczycielskim, do końca zostaną tylko dyżurni, by sprawować nad młodzieżą opiekę.

Ja naturalnie też zostaję ze swoją klasą do końca i spędzam tyleż czasu w pokoju nauczycielskim, co i w klasie obok sali gimnastycznej, gdzie uczniowie mają poczęstunek przygotowany przez rodziców. Na ławkach, które tym razem pełnią rolę stołów, są napoje i kanapki, nade wszystko jednak uwielbiane przez dzieciaki cukierki i przeróżne ciasta. Te ostatnie robione przez matki, ale wiem, że przy ich przygotowaniu sekundowały dziewczyny, a także niektórzy chłopcy. Ciast pochłaniają dzieciaki ogromne ilości. A są to: serniki, jabłeczniki, pierniki, makowce i różne rodzaje biszkoptów z galaretką i owocami. Mnie uhonorowano w sposób szczególny. Na moją cześć i w podzięce za pracę mamy zrobiły tort. Nie jest tajemnicą, że i ze mnie jest niezły łasuch, więc niespodzianka się udaje. Tort jest owocowy z bitą śmietaną, waży chyba ze trzy kilo. Kiedy dopominam się, by podzielić go tak, by po kawałku wystarczyło wszystkim, jest z tym niemały kłopot. Jest nam wszystkim bardzo słodko i tak aż do dwudziestej trzeciej, czyli do momentu rozstania.

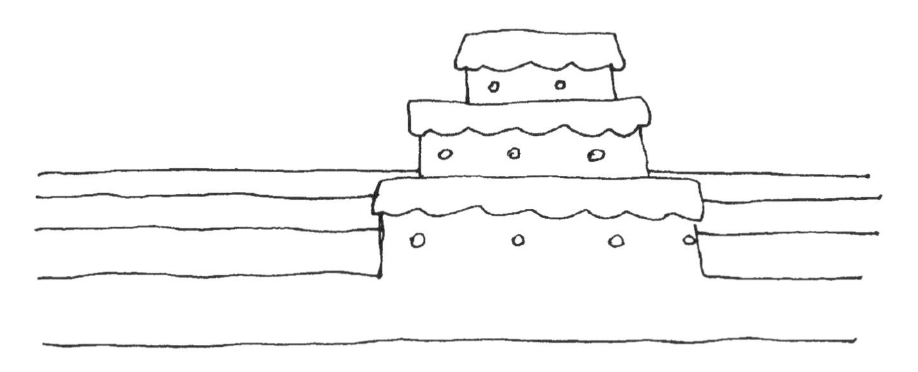

Wtedy, aby tradycji stało się zadość, dziewczęta muszą trochę popłakać. Swój żal wypłakują dziewczyńskim zwyczajem sobie nawzajem w ramionach, bo przecież kilkunastoletnim chłopcom zupełnie to nie uchodzi. Później dowiaduję się, że dzieciaki odprowadzają się od domu do domu prawie przez całą noc, niemalże do świtu. Dla odmiany na drugi dzień mało kogo z nich można spotkać we wsi na ulicy.

Właściwie i ja nie śpię całą noc. Uświadamiam sobie, że ci, którzy ukończyli dziś szkołę, to moi pierwsi wychowankowie. Nad tym, czy byłem dobrym nauczycielem, zastanawiałem się już wiele razy. Myślałem również o tym, jakim jestem wychowawcą. Ale właściwy pretekst do tego rodzaju refleksji zaistniał dla mnie dzisiaj. Czy byłem dobrym wychowawcą, który dał z siebie wszystko, co mógł, potrafił, nie szczędząc sił, rozumu i czasu... Nie dowiem się tego ani dziś, ani jutro, kiedyś jednak z pewnością się dowiem, bo choćbym wyjechał, nie wiadomo jak daleko, mój los pozostanie moim losem, a mój życiorys zachowa ciągłość. Bo przecież życie nauczyciela czy wychowawcy siłą rzeczy staje się częścią istnienia każdego ucznia, klasy, szkoły, w końcu pokoleń uczniów. Zdaję sobie sprawę z odpowiedzialności, jaka na mnie ciąży, i wiem, że rola, którą odgrywam, równie dobrze może być wielka i mała, tylko że na odgrywanie tej drugiej od nikogo nie dostałem upoważnienia.

◇ ◇ ◇

Do Olsztyna jedziemy z Julką, Olką, Marcinem, Wojtkiem, Pawłem i Radkiem. Nikt więcej nie zdecydował się zdawać do szkoły w tym mieście. Wszyscy przeżywają stres, ale nikt nie panikuje tak jak w ubiegłym roku Grzesiek. Rozmawiamy na luźniejsze tematy.

– Pamiętajcie, że czekam na informacje, co się z wami dzieje – przypominam.

– Jasne! – zapewnia Wojtek. – Przecież mamy pana adres.

– Będziemy pisać – potwierdza Julka.

– A jeśli pan zechce, to i odwiedzać – dopowiada Olka.

– Akurat – śmieję się. – Po kilku miesiącach o mnie zapomnicie.

– Chyba pan o nas – ripostuje Wojtek. – Nowi uczniowie w liceum, pewnie mądrzejsi od nas...

– Daj spokój, jacy tam mądrzejsi... Młodzież jest wszędzie taka sama. Nawet nie ważcie mi się mieć wobec innych w szkole średniej jakichkolwiek kompleksów.

– No właśnie – stwierdza Julka. – A nasza gazetka?

– Chociażby – zgadzam się. – Ale przecież nie tylko.

– A Grzesiek! – dopowiada Marcin.

– Radzi sobie. I Grzesiek, i Kaśka, a wy macie przecież za sobą wiele różnych doświadczeń.

– Jakich? – ciągnie mnie za język Julka.

– Na przykład organizacyjnych, aktorskich, a Paweł nawet muzycznych...

Marcin i Julka zdają do tego samego ogólniaka co Grzegorz. Pozostali do innych szkół. Wojtek oczywiście do Technikum Samochodowego. Kiedy rozejdą się na egzaminy, spotykam się z Kaśką i Grześkiem. Patrząc na nich, stwierdzam, że to już nie dzieciaki, choć ciągle czuję, że są w jakimś sensie moi i jestem z nimi związany.

– Podjął pan więc ostatecznie decyzję o odejściu – stwierdza Grzegorz.

– Decyzja podjęła się sama – odpowiadam.

– Jak to sama? – dziwi się Kaśka.

– No przecież wiecie, że przystąpiłem do konkursu na dyrektora.

– Skoro go pan nie wygrał, musi pan odchodzić? – dziwi się Wojtek.

– To nie tak – wyjaśniam. – Jednak objęcie funkcji dyrektora szkoły mogło mnie na pewien czas zatrzymać. Mogło, gdyby wszystkim na tym zależało.

– Tak przecież było – Kaśka jest zdumiona.

– Wszyscy przecież uważali, że jest pan najlepszym kandydatem – dodaje Grzesiek.
– Teoretycznie tak – wyjaśniam. – A jednak wykorzystano byle pretekst, by do konkursu mnie nie dopuścić.
– Jak to? – zdziwienie wyrażają Kaśka i Grzesiek niemal równocześnie.
– No tak. Po prostu. Brakowało mi kilkadziesiąt dni stażu pracy, aby spełnić wymogi konkursowe.
– I to była przeszkoda nie do pokonania? – dopytuje się Kaśka.
– Burmistrz miał swojego kandydata i to nie byłem ja...
– Ale przecież inspektorat także popierał pana kandydaturę. – Nie może pojąć sprawy Grzesiek.
– W międzyczasie inspektor się zmienił – przypominam. – Ktoś inny był dla władz samorządowych kandydatem wygodniejszym.
– Tak nie powinno być – Kaśka jest oburzona.
– Ale tak jest i jeszcze długo będzie – stwierdzam. – To produkt oboczny naszej raczkującej demokracji. Światem dorosłych dużo bardziej rządzi polityka niż logika. Przekonałem się o tym już po raz drugi w życiu.
– Drugi? – interesuje się Grześ.
– Tak. Pierwszy raz proponowano mi objęcie stanowiska dyrektora szkoły zaraz po studiach i nie był wtedy potrzebny staż pracy, ale zupełnie coś innego...
– Co takiego? – drąży temat Grzesiek.
– Zażądano bym zapisał się do partii.
– Jakiej partii? – Kaśka nie może pojąć.
– Wtedy jedynie słusznej. To była Polska Zjednoczona Partia Robotnicza.
– Nigdy pan o tym nie wspominał – stwierdza Kaśka.
– Rzeczywiście, bo i po co? – Teraz ja pytam.
– I co? – ciekawi się Grzesiek.
– I nic. Odmówiłem.
– Bardzo słusznie – chwali mnie Kaśka.
– Szybko okazało się, że to była najsłuszniejsza z decyzji w moim życiu.
– No, ale teraz są przecież inne czasy – stwierdza Grzesiek.
– Inne to fakt. Ale nie pod każdym względem lepsze. Kiedyś liczyła się przynależność do partii, teraz się liczą układy...
– Czy już nigdy nie będzie normalnie? – Ton głosu Kaśki jest minorowy.
– Będzie, moi drodzy – zapewniam. – Wy tego na pewno doczekacie.
– Ale pana ktoś już dwa razy skrzywdził – martwi się Kaśka.
– Spokojnie. Nic mi nie będzie. Nie zapominajcie, że wszystkie przemiany ustrojowe to takie małe wojny domowe i jako takie wymagają poświęceń i ofiar, na których skorzystają przyszłe pokolenia.
– Nie chcemy, żeby pan był ofiarą i poświęcał swoje życie dla nas... – mówi Grzesiek.

– Wszystko w porządku – zapewniam. – W końcu i ja znajdę sobie jakieś miejsce. Wiecie, że od nowego roku szkolnego będę pracował w liceum?

– Tak, wiemy – odpowiada Kaśka.

– No właśnie. W rodzinnym mieście. Kto wie, może to wreszcie będzie to...

– Szkoda, że to tak daleko od nas – śmieje się Grzesiek. – Wszyscy przenieślibyśmy się do pana szkoły.

– Pięknie to wymyśliliście...

– Prawdę mówiąc, to pomysł Wojtka – przyznaje Kaśka.

– No tak, szalone pomysły to jego specjalność, ale nigdy nie wiadomo, co przyszłość przyniesie człowiekowi...

Wreszcie nadchodzi czas pakowania się. Niby wiele tego nie ma, a jednak nie bardzo wiem, jak się do tego zabrać i od czego zacząć. Mam trochę ubrań, co nieco naczyń i sprzętów, największy problem stanowią moje stare graty. Chwilę zastanawiam się, czy jest sens je w ogóle zabierać, ale decyzja zapada na tak, ponieważ widziałem podobne w sklepie DESA, które poddane renowacji wyglądały naprawdę pięknie. Dochodzę do wniosku, że może kiedyś uda mi się tego dokonać i przywrócić tym niebywale zniszczonym meblom dawną świetność. Naturalnie nie są to niezwykle wartościowe szafy gdańskie, kredensy czy komody. Są to proste dziewiętnastowieczne drewniane meble, które służyły najczęściej mieszkańcom chłopskich domostw na Warmii, z którymi los obszedł się równie okrutnie jak z przedwojennymi mieszkańcami tych ziem. Niezbyt liczne przetrwały wojenną zawieruchę, później służyły zupełnie nowym właścicielom, którzy, powodowani powszechną modą, dość szybko przestali cenić sobie ich wartość i długie lata poniewierały się one po strychach, szopach stodołach czy oborach. Zniszczały bardzo, narażone na działanie zmiennych warunków atmosferycznych, raz mrozów, a raz upałów, a czasem śniegu czy deszczu. Przestały służyć celom, dla których zostały stworzone: w kufrach przechowywano śrut ze zboża, bieliźniarki z lustrem stały się szafkami na rozmaite narzędzia w garażach, a ubraniowe szafy strychowym składowiskiem najmniej potrzebnych rzeczy i moli. I chociaż dawne świetne życie, którym meble te żyły, odeszło już bezpowrotnie, jakieś tam życie w nich przetrwało. I to życie, życie dziesiątków korników towarzyszyło owym meblom i ich zmiennym losom i towarzyszy po dzisiejszy dzień, tyle że dla nich oznacza to powolny proces zmierzania ku unicestwieniu.

Decyzja o zabraniu mebli oznacza dla mnie konieczność zamówienia odpowiednio dużego transportu i znacząco podnosi koszt przeprowadzki. Problem również w tym, że w moim nowym domu nie mam na razie dość miejsca na pomieszczenie wszystkich mebli. Na początek jestem w stanie urządzić tylko jeden pokój. Tu z pomocą przychodzą mi znowu dzieciaki. Mój problem Marcin sprzedaje rodzicom i Jasiński, jak już raz kiedyś, oferuje się przetransportować mój dobytek.

– Przewieziemy najpierw jedną turę rzeczy, potem drugą, a jak będzie trzeba, to i trzecią – proponuje ojciec Marcina.

– Szczerze powiedziawszy, jest mi to bardzo na rękę – stwierdzam. – Będę dzięki temu sukcesywnie urządzał sobie w domu pokoje i pomieszczenia.

I rzeczywiście, na początek mogę zagospodarować tylko pokój z kuchnią i łazienką. Ta kuchnia zresztą będzie przez dłuższy czas jednocześnie i kuchnią, i drugim pokojem.

Kiedy pierwszy transport jest już przygotowany, do jazdy ze mną i Jasińskim chętne są wszystkie dzieciaki. Ze zrozumiałych względów zabieramy Marcina i Wojtka. Te meble trzeba przecież wyciągnąć z Żuka, a następnie wnieść po schodach do domu i w odpowiednim miejscu ustawić. Kiedy docieramy do celu, Jasiński łapie się za głowę.

– Panie Marku, tu jest jeszcze bardzo wiele do zrobienia!

– Zgadza się – przyznaję. – Mam na to prawie całe wakacje – śmieję się. – Nastąpiły pewne opóźnienia w przygotowaniu mojego mieszkania do tego, by się wprowadzać, jednak dam radę.

– Ale nawet ściany i sufity są niepomalowane...

– To umiem zrobić sam.

– Ale trzeba będzie przestawiać meble – niepokoi się.

– No cóż, jest to naturalnie jakiś kłopot.

– A ogrzewanie? Jakie ma pan tu ogrzewanie?

– Na razie żadnego...

– Czy chociaż w łazience i kuchni jest woda?

– Lada moment podłączą, w budynku jest – odpowiadam coraz bardziej zaskoczonemu Jasińskiemu.

– Nie wiem, po co pan się tak spieszył z tą przeprowadzką. Można przecież było rok później...

– O ile pan pamięta, w Dębinach zaczynałem prawie tak samo – śmieję się.

– Prawdę powiedziawszy to tak – zgadza się Jasiński.

– Doszedłem do wniosku, że moja obecność w sposób znaczący przyspieszy tu wszelkie roboty.

– Pańskie oko konia tuczy – trudno się nie zgodzić z tym przysłowiem.

– Jego mądrość jest bezdyskusyjna – przyznaję Jasińskiemu rację.

– Najważniejsze, żeby zdążyć z tym wszystkim przed zimą. Mam wrażenie, że wszystkie tynki są tu jeszcze mokre.

– To prawda. Ale przecież zim od kilku lat już nie ma.

– Tak czy inaczej trzeba suszyć, a malowanie nie będzie łatwe.

– Mam pomysł – nagle do rozmowy wtrąca się Marcin, który wraz z Wojtkiem do tej pory tylko przysłuchuje się rozmowie.

– Jaki? – pyta go ojciec.

– My z Wojtkiem pomożemy panu w malowaniu i przestawianiu mebli.

– Dajcie spokój – oponuję. – Przecież znajdę tu na miejscu kogoś do pomocy.

– Ale po co? – tym razem zabiera głos Wojtek.

– Ja nie mam nic przeciwko – mówi Jasiński. – Ale przecież nie jesteście przygotowani, żeby zostać. Nie macie ze sobą rzeczy osobistych.

– Jutro przyjedziemy ze wszystkim, co trzeba i z namiotem.

– I kto was tu będzie karmił? – śmieje się Jasiński. – Myślicie może, że pan Marek będzie miał czas gotować wam obiady?

– Będziemy jak na biwaku. – Chłopcy zapalają się coraz bardziej, a my z Jasińskim spoglądamy po sobie.

– Możemy potraktować to jako ich wakacyjną przygodę – wypowiadam opinię.

– Mam wrażenie, że będzie pan miał więcej z powodu ich obecności kłopotów niż pożytku. – Jasiński jest sceptyczny.

– No wiesz co, tato. – Marcin jest na ojca oburzony.

– Dobrze, porozmawiamy o tym z tatą na osobności – proponuję. – Zmykajcie na podwórko.

– Chce pan brać sobie ten kłopot na głowę? – Jasiński patrzy mi w oczy.

– Spójrzmy na to w ten sposób – proponuję. – W czymś pewnie rzeczywiście mi pomogą. Trochę przysporzą mi kłopotu. Ale to, że chcą, świadczy o nich jak najlepiej. Taka postawa w życiu zaprocentuje, niech więc mają poczucie, że potrafią pomóc, potrafią okazać wdzięczność. Zgódźmy się na kilka dni.

– Jak już mówiłem, na nie mam nic przeciwko. Sądzę, że u Wojtka w domu będzie to samo. Boję się, że oni tu gotowi panu przywlec jeszcze Grześka.

– Niech będzie i tak.

– Z kolei my zdzwonimy się i ja mogę chłopców zabrać, kiedy przyjadę w tygodniu z drugą turą mebli...

– To bardzo dobre rozwiązanie.

Wołamy do siebie chłopców i oznajmiamy im, jakie podjęliśmy decyzje. Chłopcy są szczęśliwi, jakby wygrali trzytygodniowe wczasy nad Balatonem. Żegnamy się, bo robi się późno, a przed moimi gośćmi jeszcze dwugodzinna droga powrotna.

◇ ◇ ◇

Myślę nad swoją skomplikowaną naturą. Kiedy opróżniałem swoje stare mieszkanie, dopadło mnie jakieś uczucie smutku i niczym nieuzasadnionego przygnębienia. Czułem się jak zdrajca, który porzuca tonący okręt. To mieszkanie najpierw dzięki mnie zaczęło wracać do życia, teraz za moją sprawą umiera w konwulsjach. Pozbawione mebli, dywanów, firan, zasłon i żyrandoli, robi się zimne, puste i beznadziejnie chore. Czyż można się tak przywiązywać do miejsca? Do rzeczy? Do przedmiotów? Te ostatnie przecież zabrałem ze sobą... A może nie chodzi wcale o miejsce? Może tu chodzi bardziej o czas, który mija bezpowrotnie? Jednak ktoś przecież wniesie tu nowe życie, a w szkole pojawią się nowe, wspaniałe dzieciaki...

A znowu tu... Czego tak się cieszę, że moja obecność ożywia ten nowy dom? No i gdzież tu jest logika? Nigdy nie obiecywałem ani sobie, ani nikomu innemu, że zostanę tam na zawsze, a przecież i tu nie wiem, czy już do końca osiądę...

Z czasem dowiem się, że moja mała wiejska szkółka przestaje istnieć. Nie biorąc oczywiście pod uwagę, liczących po kilkanaścioro dzieci, klas I–III. Jednak w tych klasach ani pracy, ani żadnej roli do odegrania dla mnie nie ma.

◇ ◇ ◇

Na drugi dzień pod wieczór zjawiają się Wojtek, Marcin i Grzesiek. Rozbijają sobie pod domem namiot, pompują materace. Tego dnia nie planujemy już żadnych robót. Najpierw idziemy na spacer i pokazuję im szkołę, w której będę pracował, następnie wracamy i rozpalamy ognisko, by sobie nieco jeszcze posiedzieć i pogadać. Następnego dnia bierzemy się za malowanie pierwszego pokoju. W związku z tym, że tynki rzeczywiście nie są jeszcze całkiem suche, nie zamierzam nic kombinować i wszystko malujemy na biało.

– To tak, jak u nas w chlewiku – śmieje się Wojtek.

– Niech sobie będzie jak w chlewiku – zgadzam się. – Później mogę dowolnie dobierać kolory, ale najpierw niech ten sufit i ściany porządnie wyschną.

Przenosimy wszystkie meble do drugiego pokoju, nawiercamy dziury na kołki pod karnisze i zaczynamy od sufitu. Grzesiek robi sobie czapkę z gazety, wchodzi na drabinę i zaczyna machać pędzlem. Tymczasem Wojtek i Marcin niecierpliwią się.

– Nie gorączkujcie się – mówię. – Jeszcze chwila i mu się znudzi. W takiej pozycji szybko męczy się ręka i zaraz go będzie bolała.

– To dla mnie nie pierwszyzna – przechwala się Grzesiek. – Robiłem to już nieraz.

– A po raz ostatni pięć lat temu – docina mu Wojtek.

Nie mylę się ani trochę. Po pół godzinie Grzesiek ma dość, odtąd już będą się zmieniać zupełnie dobrowolnie.

Ja zaś biorę się za czyszczenie papierem ściernym drzwi wejściowych. Stanowi to element przygotowania ich pod pokrycie pokostem, a następnie bezbarwnym lakierem. Wojtkowi szybko malowanie się nudzi, a moją pracę uważa za o wiele ciekawszą, więc muszę mu ją na pewien czas odstąpić.

– I co? – pytam. – To ciekawsza praca?

– Pewnie – odpowiada Wojtek.

Ja wiem jednak swoje. Znam Wojtka i wiem, że najbardziej odpowiada mu takie działanie, które stosunkowo szybko przynosi widoczne efekty.

Kiedy sufit zostaje wreszcie w całości pomalowany, chłopcy z przerażeniem zauważają, że to, co zostało pomalowane na samym początku, wygląda fatalnie.

– Z nowymi tynkami tak jest – pocieszam ich. – Ten sufit trzeba będzie malować kilka razy i nie ma na to rady.

– Dziś tego nie skończymy – stwierdza Grzegorz. – Nie wyschnie.

– Możecie zaczynać ściany – proponuję. – Ściany też jutro trzeba będzie poprawiać. W normalnych warunkach ściany maluje się dopiero po zakończeniu sufitu, żeby uniknąć ich ewentualnego zachlapania.

Pod koniec dnia chłopcy są wykończeni.

– Kiedy pan sam by to wszystko zdążył zrobić? – Wojtek podaje w wątpliwość moje możliwości.

– Do końca wakacji, Wojtuś – odpowiadam.

– Bez sensu – podsumowuje chłopak. – Dobrze, że przyjechaliśmy.

– Pewnie! – śmieje się Marcin. – Bez nas by pan sobie nie poradził...

– No, brudasy! – zamykam dyskusję. – Proponuję iść wykąpać się na plażę nad rzekę. Dopóki jeszcze świeci słońce i jest ciepło.

– To tu jest plaża? – dziwi się Grzesiek.

– Coś w tym rodzaju – dopowiadam. – W każdym razie nie dysponujemy w domu ani wanną, ani prysznicem.

– To super! – cieszy się Wojtek. – Popływamy.

– Odprężymy się i będzie się nam lepiej spało – stwierdzam. – A jutro, jak wcześniej skończymy, pójdziemy sobie na godzinkę na kajaki.

– To tutaj są kajaki? – Wojtek jest uradowany.

– Są. Jeszcze dziś je zobaczycie.

– Fajowo – Wojtek jest uszczęśliwiony, bo nigdy jeszcze nie pływał kajakiem.

– Dobrze się składa, że jest nas czterech – informuję. – Grzegorz i ja mamy karty pływackie, więc wypożyczymy sobie dwie dwójki.

– Jaka zimna woda! – Marcin wyskakuje na brzeg szybciej, niż się zdążył zanurzyć.

– Cóż chcesz? – pytam retorycznie. – Rzeka to nie jezioro.

– Dlaczego? – przekomarza się Grzesiek.

– Ponieważ dwa razy nie można wejść do tej samej rzeki – odpowiadam żartem.

– Acha. – Moja odpowiedź zaskakuje Grześka.

– Pamiętajcie jeszcze o jednym – uczulam chłopców. – To niby oczywiste, ale miejcie na uwadze, że inaczej płynie się z prądem niż pod prąd.

Odświeżeni wracamy do domu. Dziś nie chce nam się już rozpalać ogniska. Robimy w domu herbatę, chłopcy jedzą kanapki. Wszyscy, o dziwo, chcą spać. Na drugi dzień też nikt się nie zrywa skoro świt. Całe szczęście, że słońce od rana grzeje mocno, więc chłopcy nie są w stanie zbyt długo wytrzymać w namiocie. Robi się tam duszno i gorąco. Całe szczęście, ponieważ nie miałbym sumienia budzić ochotników do pracy.

Z początku bolą wszystkich ręce, z czasem jednak udaje się rozruszać kończyny i dalej pracuje się już dobrze. Po dwóch dniach nakładania na szare tynki białej farby wreszcie rezultat zaczyna być już zadowalający. Po pracy ruszamy na kajaki.

Oprócz kajaków i wioseł otrzymujemy jeszcze wszyscy kapoki.

– Do czego mi to? – oburza się Wojtek. – Przecież ja umiem pływać.

– Umiesz czy nie umiesz, bez tego wypływać nie wolno, a już na pewno ja ci na to nie pozwolę – stwierdzam.

Ściągamy wszyscy buty i wrzucamy do specjalnego schowka w kajaku. Grzesiek płynie z Wojtkiem, ja z Marcinem. Nie od razu idzie nam, jak należy. Nie możemy się zgrać. Powoduje to, że zamiast płynąć wzdłuż nurtu rzeki, obijamy się od brzegu do brzegu, przy okazji zderzając się kajakami między sobą.

– Jak tak dalej pójdzie, doprowadzimy do katastrofy – żartuję.

– To przez Wojtka – skarży się Grzesiek.

– No tak. A u nas, Marcin, przez kogo? – pytam i obaj się śmiejemy.

– Ja nie wiem – odpowiada Marcin. – Chyba przez pana...

– Uwaga! – krzyczę. – Mam propozycję. Na razie wiosłujemy pojedynczo. Z czasem spróbujemy się zgrać.

– Dobra! – woła Grzegorz. – U nas zaczynam ja.

– A u nas ja – proponuje Marcin.

– Zgoda! – mówię. – Najpierw płyniemy pod prąd, a kiedy nam się znudzi, zawrócimy i spacerkiem będziemy sobie płynąć z prądem.

Po chwili robi się naprawdę przyjemnie. Wielokrotnie chodziłem brzegiem rzeki, kiedy jednak patrzy się na otoczenie ze środka jej nurtu, wszystko wygląda zupełnie inaczej. Wyobrażam sobie, jak przed wiekami przypływały do tego starego miasta statki z dalekich rejsów i płynęły właśnie tędy, co my teraz, tyle że rzeka wówczas była uregulowana, a jej koryto zdecydowanie głębsze.

Po pół godzinie chłopcy są już zgrani, stanowią niemal profesjonalne osady wioślarskie. Wracamy do „portu" w dobrych nastrojach, bogatsi o nowe, ciekawe wrażenia.

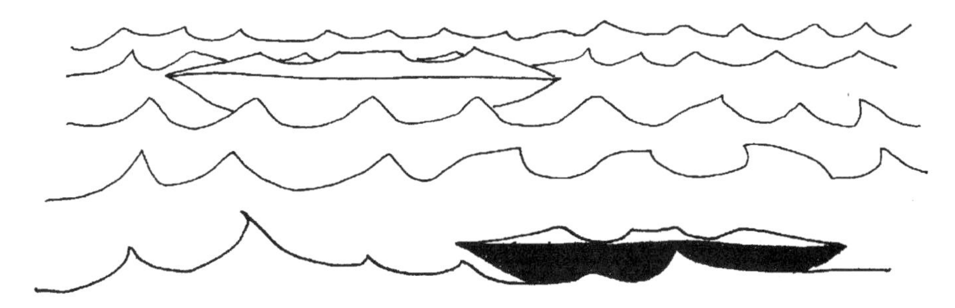

– Chyba płynie motorówka – stwierdza Marcin.

– Nie sądzę – odpowiadam. – Myślę, że nadbrzeżnym wałem jedzie po prostu motor.

Dźwięk motoru jednak się nasila i to wyraźnie za naszymi plecami. Na dobrą sprawę już za chwilę wysiadalibyśmy z kajaków, wystarczyło tylko dobić do brzegu, jednak nieoczekiwanie z ogromnym impetem mija nas, rycząc, motorówka. Pozostawia za sobą wysoką falę, a naszymi kajakami rzuca tak, że z trudem udaje nam się utrzymać równowagę. Ledwie zdążymy nacieszyć się tym, że równowagi nie straciliśmy, a przepływa obok nas następna, a potem jeszcze jedna motorówka.

– Wiosłuj w prawo! – krzyczę do Marcina.

– Robię, co mogę! – odpowiada Marcin.

Hałas jest taki, że ani się dobrze słyszymy, ani dobrze rozumiemy.

– Nie przechylaj się! – krzyczę do Marcina.

– Ja się w ogóle nie ruszam – odkrzykuje, zdanie kończy już jednak zanurzony pod wodą.

Nie wiadomo kiedy wywracamy się i obaj płyniemy już obok kajaka. Katem oka widzę odpływające gdzieś z prądem wody wiosła.

– Trzymaj się kajaka, Marcin! – żądam. – Próbuj go obrócić, a ja płynę po wiosła.

Gdy udaje mi się już wiosła chwycić, płynąc jedną ręką, zbliżam się do Marcina, i dopiero teraz zauważam, że również Grzesiek i Wojtek znajdują się poza kajakiem. Początkowo jestem wściekły. Kiedy jednak widzę, jak podekscytowani są chłopcy i jaką frajdę sprawiła im ta nieoczekiwana przygoda, również zaczynam się śmiać.

– Za takie rzeczy powinno się ludzi karać! – złoszczę się, widząc, jak moje ubrania ociekają z wody.

– Było super! – cieszy się Wojtek.

– Zapewne – żartuję sobie. – Ale ręce po malowaniu przy wiosłach raczej nie odpoczęły...

– To już ich problem – śmieje się Wojtek.

Na drugi dzień zabieramy się za następny pokój. Ten, który będzie pełnił także funkcję kuchni. Najpierw przenosimy wszystkie graty do pierwszego pokoju, a potem wykonujemy czynności takie same jak przedtem. Tu już nic nas nie zaskakuje. Ostatecznie z planowanych kilku dni pobytu chłopców robi się tydzień. Mnie udaje się w tym czasie doprowadzić wodę do kuchni i do łazienki oraz zamontować bojler elektryczny. Kiedy pod koniec tygodnia Jasiński przywozi drugą turę gratów, ustawiamy je na właściwych miejscach i w mieszkanku robi się naprawdę przytulnie. Na ścianach pojawiają się półki z książkami, przywiezione ze wsi obrazki, kwiaty. Wreszcie nadchodzi czas pożegnania. Wiadomo, że pojadę jeszcze kiedyś do Dębin, zostało tam nieco moich rzeczy, faktycznie jednak przestaję tam już mieszkać. Rozstając się, zapraszamy się nawzajem do odwiedzin.

– To naprawdę nie ma już nic do zrobienia? – pyta Wojtek.

– Nie. Nic takiego, w czym moglibyście mi pomóc. – Ściskam ręce odjeżdżających i dziękuję za okazane wsparcie.

◇ ◇ ◇

Moja przygoda z dzieciakami trwa do dziś. Rokrocznie, czasem nawet dwa razy do roku, bywam w Dębinach. Dzieje się tak w dużej mierze za sprawą Kaśki i Wojtka, którzy się pobrali. Oni odwiedzają mnie, a ja ich. Wielu innych utrzymuje ze mną kontakt listowny czy telefoniczny, a kartki otrzymuję na najróżniejsze okazje.

Centralnego ogrzewania przed zimą nie udaje mi się zrobić. Wbrew temu, czego się spodziewałem, tego roku zima po kilku latach wreszcie przyszła. Przyszła nie tylko ze śniegiem, ale też z blisko trzydziestostopniowym mrozem. Po kilku dniach takiego mrozu przestałem mieć wodę, a z prądem cały czas były kłopoty, ponieważ swój pokoik musiałem ogrzewać olejowym grzejnikiem elektrycznym. Prawdę powiedziawszy, nowy rozdział mojej opowieści o skromnej karierze pedagogicznej mógłbym zacząć niemal identycznie jak poprzedni. Chociaż pod wieloma względami początek tego nowego przypominałby stary, to jednak już zupełnie inny i całkiem nowy rozdział.